名画の力

宮下規久朗

光文社新書

はじめに

本書は、光文社新書の『欲望の美術史』『美術の誘惑』『美術の力』『名画の生まれるとき――美術の力Ⅱ』に続く、美術史エッセイである。基本的に私が『産経新聞』夕刊に十年以上前から連載している「欲望の美術史」の最近の約三年間の記事が主体となっており、いくつかの拙文を加えたものである。ともあれ、前著を読んでくださっていなくてもわかる内容となっている。

内容によって7章に分けた。序章、「群像表現から見る人々の営み」は、群像表現という観点から、都市と飲食、労働と祭礼、戦争と災害に分け、古今東西の名画を見ていく。選んだ作品は、美術史上の名作から私の好むあまり知られていない作品まで多岐にわたる。

第1章「伝統の力」は、西洋のオールドマスター（近代以前の巨匠）や、東洋の大画家たちの底力を知らしめる展覧会や作品を紹介する。輸送費や保険費の高騰によって海外からの大型の展覧会はすっかり減ったとはいえ、ときに時代を画するようなすばらしい展覧会も開催されている。それらはまた、美術の伝統というものがいかに大切かを感じさせてくれる。

第2章「巨匠たちの舞台」では、よく知られた巨匠たちが展覧会によってどのように展示され、どのような側面が照らされたかについて考える。モネやピカソなど、日本でもなじみの深い画家たちはまだまだ汲《く》みつくせぬ魅力を持っており、何度見ても飽きないのだ。

第3章「現代美術の奥行き」は、現代美術の中でもすでに美術史上の評価や人気の確立した美術家たちの評価や展示について見ていく。ウォーホルもリヒターも最近大きな展覧会があり、その奥深さに打たれた人も多いだろう。

第4章「聖と俗を結ぶ」は、人々の死生観や来世への思想の表れた美術を中心に文章を集めた。古代エジプトから現代まで、それは人々のもっとも強い関心事であり、美術制作の最大の動機となってきた。

第5章「知られざる画家たち」は、一般にそれほど知られていなかった、あるいは知る人ぞ知る存在であったが、近年の展覧会を機に注目を集めた画家たちについて紹介する。こうした展覧会を通して、知られざる画家たちはやがて美術史上の巨匠となる場合もある。いずれも美術館の学芸員諸氏の地道な調査の賜物《たまもの》であり、このような展覧会はもっとも高く評価されるだろう。

第6章「美術における光」は、第1章と同じく、光の表現によって古今の名画を見ていくもので、屋内と屋外の光や反射や屈折という観点から美術作品を眺める。

第7章「美術館と公共性」は、アメリカの大美術館や国内に新しくできた美術館やコレクションの話題から、美術の公共性に関する問題までの文章を集めた。美術は天才による孤高の営みではない。作品のほとんどは社会の中に位置づけられ、公共性を持つ。近代の美術館はそのための施設であった。だが、美術作品は社会になじむ場合もあれば、排除されることもある。

以上、多岐にわたる内容だが、美術の魅力をより一層感じられ、美術について考える契機となったら幸いである。

名画の力

目次

第2章　巨匠たちの舞台……65

第3章　現代美術の奥行き

第4章　聖と俗を結ぶ

第5章 知られざる画家たち …… 141

序章

群像表現から見る人々の営み

西洋ではルネサンス以降、複数の人物の登場する歴史画（イストリア）が美術の最上のジャンルとされ、群像表現が美術の中心となった。日本においても近世以降、群像によって人々の営みがいきいきと描かれてきた。ここでは、いくつかのテーマに分けて、東西の代表的な名画を見ていこう。

都市と飲食

北宋の都、開封《かいほう》を描いた張択端《ちょうたくたん》による《清明上河図》（図0-1）は、清明節で行楽や行商の人々でにぎわう春の開封を緻密に描いたもので、以後何度も模写された。世界の都市図の頂点といってよい名作中の名作である。中国の歴代の宝物や名品のほとんどは国民党とともに台湾に渡り、台北の国立故宮博物院にあるが、この作品だけは清朝最後の皇帝溥儀《ふぎ》が所有していたため、北京に残ったのである。

日本では戦国時代、京都の市内と市外のにぎわいを俯瞰《ふかん》的に描いた洛中洛外図が登場した。中でも狩野永徳の《洛中洛外図屏風》（図0-2）は織田信長が上杉謙信に贈ったものとして名高い。近くで見ると、あらゆる階層にわたる二千人以上の京の人々の日常の営みがいきい

図 0-1　張択端《清明上河図》部分　12世紀　北京、故宮博物院

図 0-2（上）狩野永徳《上杉本　洛中洛外図屏風》左隻
1565年　米沢市、上杉博物館（下）同：左隻部分

図 0-3　アンブロージョ・ロレンツェッティ《善政の効果》
1338-40年　シエナ市庁舎

きと描かれているのがわかる。

　同じく、中世都市のにぎわいを描いたのが、シエナ市庁舎を飾るアンブロージョ・ロレンツェッティ《善政の効果》（図0‐3）である。中世に繁栄を誇った中部イタリアの都市国家シエナの町のにぎわいを描いた壁画。街路で踊る女性たち、農作物を運んできた農婦、靴屋、大学の講義風景、屋根の上の大工まで、多くの人物たちが画面を彩っている。以上の三点が、世界三大都市図であると思っている。

　産業革命後の近代社会では、都市市民がピクニックに出かけ、それが印象派の画家たちによって描かれた。ジョルジュ・スーラ《グランドジャット島の日曜日の午後》（図0‐4）は、パリ近郊セーヌ川の中州で夏の休日を過ごすパリ市民を描い

図 0-4　スーラ《グランドジャット島の日曜日の午後》
1884-86年　シカゴ美術館

た大作。スーラは二年かけて多くのデッサンや習作を重ね、光を表すために入念に計算した色彩によってすべてを点描で描いた。休日のにぎわいというより、時が止まったような静けさを感じさせる。

　西洋では、東洋とちがって飲食の情景を描く作品が多い。これは、キリスト教の「最後の晩餐《ばんさん》」に由来する聖餐式によって、日常の食事が宗教的意味を持ったからである。最近文庫になった拙著『食べる西洋美術史』（光文社未来ライブラリー）は、そのことを論じている。風俗画でも飲食は人気の主題となった。ヤコプ・ヨルダーンス《豆の王の祝宴》（図0‐5、次ページ）は、豆を一粒入れたケーキを切り分け、豆の入ったケーキに当たった者が一座の王となり、かけ声とともに繰り返し乾杯

図 0-5　ヨルダーンス
《豆の王の祝宴》
1656年
ウィーン、美術史美術館

図 0-6
ゴッホ
《ジャガイモを食べる
人々》1885年
アムステルダム、
ファン・ゴッホ美術館

図 0-7　狩野元信《酒飯論絵巻》部分　16世紀　文化庁

する正月の行事を描いている。ここでは、めでたく長老が王となって盛り上がっており、すっかり酒が回って嘔吐《おうと》する者もいる。

ファン・ゴッホ《ジャガイモを食べる人々》（図0‐6）は、茹《ゆ》でたジャガイモの皿をつつく一家を描いている。彼らは自分の手で掘ってきたジャガイモを食べながら、静かに神の恵みに感謝している。家族の結び付きは、団欒《だんらん》や会話によるのではなく、ともに労働し、祈るという精神的な絆によって築かれるものなのだ。

日本にも例外的に飲食を描いた名作がある。それが室町時代の狩野元信《酒飯論絵巻》（図0‐7）であり、江戸期にかけて何度も摸本が作られるほど人気を博した。ここでは、酒が上か飯が上か、あるいはどちらもよいかという三者の議論が絵画化されている。飯至上主義の者が山盛りの白米を食べている情景はユーモラスである。日本では飲食を描いた作品はきわめて少ないが、中世の食文化を伝える貴重な資料となっている。

労働と祭礼

労働は古今東西の美術にとっても重要なテーマとなった。中国から伝来した耕作図は、日

図0-8　久隅守景《四季耕作図屏風》17世紀　石川県立美術館

本でも広く受容され、応用された。久《く》隅《すみ》守《もり》景《かげ》《四季耕作図屏風》（図0‐8）も伝統的な耕作図という主題だが、狩野派の絵師守景は日本の農民の暮らしをいきいきととらえている。左隻には浸種・耕し・田植など春夏、右隻には収穫・脱穀が描かれ、左から右に季節が移っている。

　産業革命は、それまでの農業とはまったく異なる工場労働を生み出した。ドイツの画家アドルフ・メンツェルの《圧延工場》（図0‐9）では、労働者たちが溶けた鉄のかたまりを圧延機に入れている。手袋もはめず素手で危険な作業をする労働者たちに加え、右下には工場内で昼食をとる者、左端には体を洗う者もおり、産業革命後の工場の実情をよく伝えている。

　十九世紀後半のロシアは広大な国土に多くの鉄道を建設した。コンスタンティン・サヴィツキー《鉄道保線工事》（図0‐10）はその情景を描いたもの。十九世紀ロシアの写実主義である移動派の画家サヴィツキーは、こうした庶民の生活や風俗を描き、厳しい労働に従事する人々を写実的にとらえている。

日常の労働に対して、ハレの祭礼も美術に多く登場する。岩佐又兵衛《豊国祭礼図屏風》（図0-11）は、一六〇四年の秀吉七回忌を記念して京都の豊国神社で行われた祭礼を描いた

図 0-9　アドルフ・メンツェル《圧延工場》1872-75年　ベルリン、旧国立美術館

図 0-10　コンスタンティン・サヴィツキー《鉄道保線工事》1874年　モスクワ、トレチャコフ美術館

図 0-11　岩佐又兵衛《豊国祭礼図屏風》右隻部分　17世紀　徳川美術館

図0-12　ルーベンス《ケルメス》
1635-38年　パリ、ルーヴル美術館

もの。豊国神社には同じ情景を描いた狩野内膳による屏風も伝わるが、この又兵衛の作品では華美ないでたちで豊国踊に興じる町衆の熱気がほとばしっている。

ルーベンスはブリューゲルによって創始された農民風俗画を大規模に展開した。《ケルメス》（図0-12）はそれを代表する名作。ケルメスとはネーデルラントやドイツの村祭りで、年に一度のこの日は領主が農民に酒をふるまう無礼講の場であった。踊り、飲酒、性愛が入り混じった庶民のエネルギーが炸裂している。

イリヤ・レーピン《クルスク県の十字架行進》（図0-13）は、ウクライナ生まれのロシア最大の画家レーピンの代表作で、ギリシャ正教の十字行を描いている。あらゆる階層の人々が歩いており、遅い者を官憲が追い立てている。左手前には杖によって必死で歩く若い障碍者《しょうがいしゃ》もおり、そこに画家の共感が込められている。

祭礼が共同体によるものだとすれば、婚礼や葬礼は個人的な祭礼であった。パリのルーヴル美術館でひときわ目を引く超大作、ヴェロネーゼの《カナの婚礼》（図0‐14）は、キリストが婚礼の席で水をワインに変えた奇蹟を主題としているが、実際は当時のヴェネツィアの貴族の豪華な婚礼を描いたもの。手前でヴィオラを弾く画家自身を含め、実在の人物たちをモデルにしている。華麗な色彩による大画面の群像構成の傑作である。

ピーテル・ブリューゲルは農村の祝祭や婚礼に出かけては《農民の婚宴》（図0‐15、次ページ）のような農民画を描いたという。奥の幕の前

図0-13　イリヤ・レーピン《クルスク県の十字架行進》
1880-83年　モスクワ、トレチャコフ美術館

図0-14　ヴェロネーゼ《カナの婚礼》
1563年パリ、ルーヴル美術館

図 0-15　ピーテル・ブリューゲル《農民の婚宴》1568年　ウィーン、美術史美術館

図 0-16　ムカサリ絵馬　山形県上山市　久昌寺

に花嫁が坐るが、花婿ははっきりしない。ブライという丸い菓子を配る若者か、左端でワインをつぐ若者かで意見が分かれている。

　山形県中部では結婚せずに亡くなった若者があの世で結婚式をあげる情景を描いた絵馬を寺社に奉納する伝統があり、それをムカサリ絵馬という（図0-16）。架空の婚礼を描いたもので、形式化してはいるが、亡児のあの世での幸福を願う遺族の切実な気持ちが伝わってくる。婚礼でありながら葬礼とも関係するといってよい。

　葬礼の名作としてもっとも有名なのは、ギュスターヴ・クールベの大作《オルナンの埋葬》（図0-17）である。画家の故郷であるフランス東部のオルナンでの無名の人物の普通の

図0-17　クールベ《オルナンの埋葬》
1849-50年　パリ、オルセー美術館

図0-18　ヴァシリー・ペローフ《葬送》
1865年　モスクワ、トレチャコフ美術館

埋葬をあたかも英雄の歴史画のような大画面に描いたことでスキャンダルを呼び、写実主義の出発点となった。悲嘆する女性に加え、無表情の聖職者や墓掘人によって葬儀の現実を

図 0-19　熊谷守一《ヤキバノカエリ》
1948-55年　岐阜県美術館

示している。

ヴァシリー・ペローフ《葬送》（図0-18、前ページ）では、一家の主が亡くなり、棺を載せた橇《そり》で墓に向かう家族を描いている。娘は父の棺を抱き、幼い息子は父の形見となった外套を着て眠る。背を見せてうなだれる母親は、今後の生活を憂いているのだろう。ペローフはこのように社会の底辺に生きる人々を描いた。

熊谷守《もり》一《かず》《ヤキバノカエリ》（図0-19）は、二十一歳で結核によって亡くなった長女、萬《まん》の火葬の後、骨壺を抱いて帰る画家の一家を簡略な線と単純な構図で描いたもの。三人の足取りはそろっていないようで、どこかユーモラスに見え

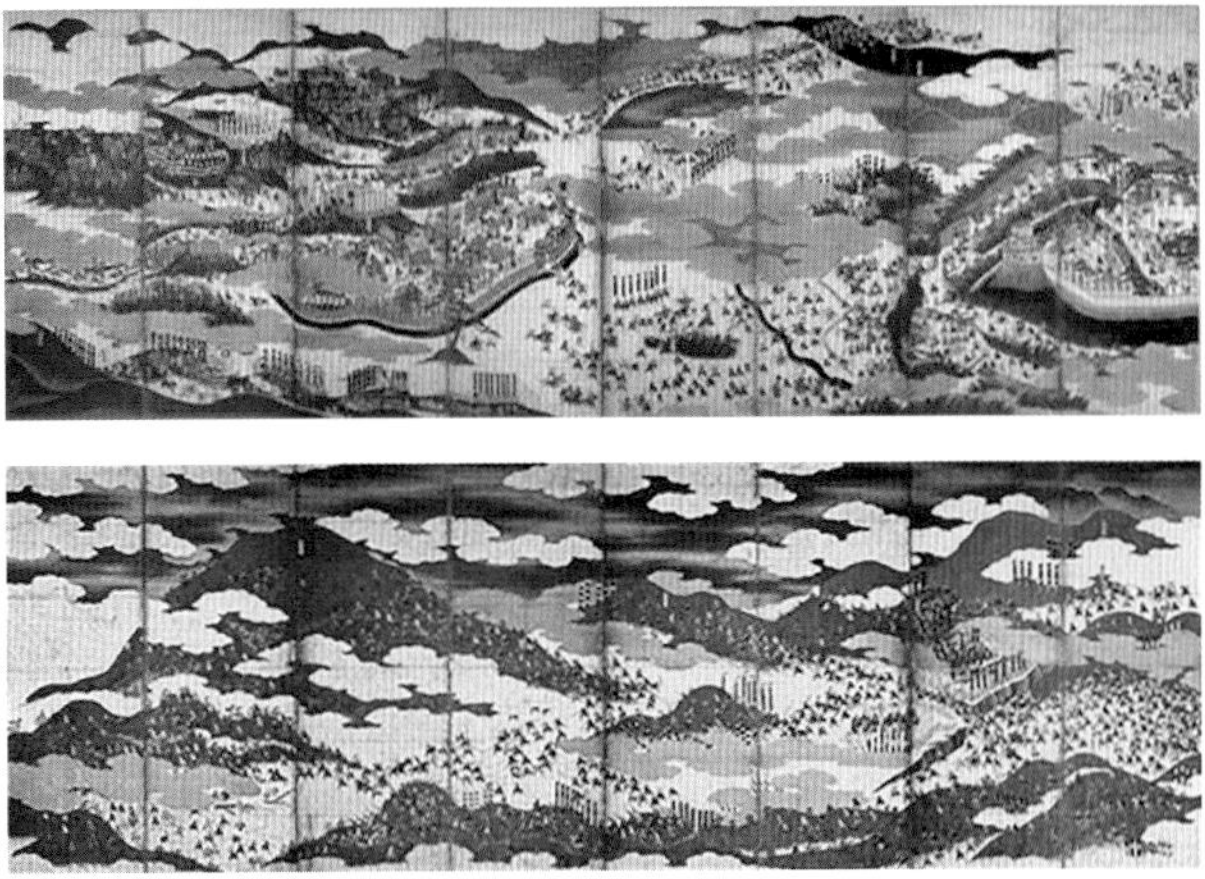

図 0-20　（上）《関ケ原合戦図屏風》右隻
重要文化財　17世紀　大阪歴史博物館　（下）同：左隻

るが、深い悲しみが塗り込められている。

戦争と災害

後にも見るように、美術と戦争とは深い関係があり、古今東西を通じて戦争はつねに美術に表現されてきた。日本のもっとも歴史的な戦争を描いた《関ケ原合戦図屏風》（図0-20）は、一六〇〇年の関ヶ原の戦いを決戦前日と当日の二つの場面に分けて描いた屏風。武将や陣の様子が細密に描かれている。徳川家康が戦勝記念に描かせたと思われ、家康の養女、満天《まて》姫が津軽家に嫁ぐ際の輿入れ道具のひとつであったと伝えられる。

図 0-21　スリコフ《イェルマークのシベリア征服》1895年
サンクトペテルブルク、国立ロシア美術館

ロシアのヴァシリー・スリコフ《イェルマークのシベリア征服》（図0-21）は、ロシアでもっともよく知られた戦闘図である。コサックの隊長イェルマークは一五八二年、シビル・ハン国が治めていたシベリアを征服し、イワン四世に献上した。コサックは銃によって弓矢のモンゴル兵を圧倒している。シベリア出身のロシアの巨匠スリコフは考証を重ねてこのチュヴァシュ岬の戦いを再現して見せた。

　太平洋戦争中、日本の多くの画家たちが戦争記録画を制作したが、その頂点に立つのが藤田嗣治《つぐはる》である。彼の最後の戦争画《サイパン島同胞臣節を全うす》（図0-22）は、サイパン島の邦人が玉砕する様子を描いた大作。左から、最後の抵抗をして銃撃する者、死に化粧のために梳《くしけず》る女たち、自害する者、右端では万歳をして崖から身を投げる者。極限状態の人間を描いて太平洋戦争の悲劇を伝える記念碑的大作である。

　戦争と並んで火災や天災も人々を苦しめてきた。ヴァチカン宮殿に描かれたラファエロの《ボルゴの

図 0-22　藤田嗣治《サイパン島同胞臣節を全うす》
1945年　東京国立近代美術館（永久貸与）

図 0-23　ラファエロ《ボルゴの火災》1514年
ヴァチカン宮殿ボルゴの火災の間

火災》（図0‐23、前ページ）は、ヴァチカン近くの町ボルゴで起こった火災をレオ四世が十字を切って鎮火したという九世紀の奇蹟を描いている。左側に赤子や老人を避難させようとする人々、右側に水がめを渡して鎮火する人々を描く。このダイナミックな群像劇は以後長く西洋美術の模範となった。

天保七年（一八三六）、大飢饉が起こった。小沢華嶽《かがく》《荒歳《こうさい》流民《りゅうみん》救恤《きゅうじゅつ》之《の》図《ず》》（図0‐24）は京都における天保飢饉の惨状を崋山が記録した画巻だと伝えられてきたが、実際は救済活動に尽力した京都町奉行所組の与力、平塚茂喬《しげたか》が救小屋の様子などを小沢華嶽に描かせたものであることがあきらかになった。

大正十二年（一九二三）、関東大震災が起こった。関東大震災の報を受けて京都にいた洋画家、鹿子木《かのこぎ》孟郎《たけしろう》は日本画家の池田遙邨《ようそん》とともに京都から現場にかけつけ、一か月にわたって廃墟となった都市をスケッチし、翌年大作《大正十二年九月一日》（図0‐25）を仕上げた。焼野原で家財を持って避難する人々を克明にとらえている。二〇二三年は関東大震災百年として、この震災を振り返る行事や研究があいついだ。関東大震災を描いた画家としては徳永柳洲《りゅうしゅう》が岡山県立美術館による調査によって再評価されている。彼は被災地の惨状を伝える二十五点の油絵の大作を制作し、「移動震災実況油絵展覧会」を巡回させて被災者のための義援金を募った。都立横網町公園にある東京都復興記念館には、彼の迫力ある作品群が展示されている。

近年の神戸や東北の震災も記憶に新しく、それらを題材にした現代美術を見かけることも

図 0-24　小沢華嶽《荒歳流民救恤之図 》部分
1838年

図 0-25　鹿子木孟郎《大正十二年九月一日》
1924年　東京都現代美術館

あるが、感銘を受けるものは少ない。これらの災害が美術表現と結びつき、鑑賞に値するものが生まれるにはまだ時間がかかるのだろう。

第1章

伝統の力

ウクライナの美術

ロシアによるウクライナ侵攻が始まってから二年以上たったが、一向に終息する様子が見られない。近年これほど世界中が注視して非難した戦争はなかったが、皮肉なことにこれを機にウクライナという国が再認識されるようになった。私は、何度か行ったロシアで撮りためた写真と自分の頭を整理することを兼ねて、二〇二二年度の大学の講義のテーマをロシア・ウクライナ美術史にした。

　ウクライナはロシアの原郷である。九世紀末ノルマン人がキエフに建国したキエフ・ルーシから派生したモスクワ大公国が後のロシアとなった。ウクライナは、モンゴル、ポーランド、リトアニアに支配され、十八世紀にはコサックによる独立国家が成立するものの、やがてロシアに組み込まれて小ロシアと呼ばれた。ロシア革命の混乱時に一時的に独立した以外はソ連に支配され、一九九一年のソ連崩壊後ようやく独立したのである。

　ロシア美術史を概観すると、重要な美術家の多くがウクライナ出身であることに驚く。ロシアの国民的大画家レーピン、ロシア最大の風景画家アイヴァゾフスキー、最初に抽象絵画

図 1-1　アルヒープ・クイーンジ《ドニエプル川の月夜》
1880年　サンクトペテルブルク、国立ロシア美術館

を描いたロシア・アヴァンギャルドの旗手マレーヴィチ、ロシア現代美術を代表するイリヤ・カバコフなど。美術だけでなく、文学のゴーゴリ、音楽のプロコフィエフなどウクライナ出身の芸術家は枚挙にいとまがない。

風景画家アルヒープ・クイーンジは、代表作《ドニエプル川の月夜》（図1-1）のように、ウクライナの景観美を表現して広く親しまれてきた。今回の戦争で、彼の故郷マリウポリは最大の激戦地となったが、劇場や病院とともにこの画家の美術館も爆撃を受けたという痛ましい報道があった。

ロシアの歴史も芸術もウクライナ抜きでは成立しないのだが、それもロシアがウクライナを手放したくない要因のひとつとなっている。し

図1-2　タラス・シェフチェンコ《農民の家族》
1843年　キーウ、タラス・シェフチェンコ博物館

かし、前述の芸術家たちはほとんどがモスクワやペテルブルクで学んだり制作したりしたため、ロシアの芸術の一部として語られてきたのも当然であった。

しかし、ロシア芸術史にはあまり登場しない重要なウクライナ人芸術家がいる。「ウクライナの魂」と呼ばれる詩人・画家タラス・シェフチェンコである。彼はキエフ南方の村に農奴として生まれたが、絵の才能によって当時の大画家ブリューロフに認められ、画家となることができた。ウクライナの農民の風俗画を描く一方（《農民の家族》図1-2）、当時は文学に適していないとされたウクライナ語で詩集『コブザール』をはじめとする多くの詩を書き、ウクライナ民族運動の先駆となった。そのため迫害されて中央アジアに流刑になる。その詩は現在までウクライナ人に愛唱され、それに曲をつけた歌は今回のウクライナの戦地でもさかんに歌われて人々に勇気を与えている。

十八世紀初頭、ウクライナに個性的な彫刻家、ヨハン・ゲオルク・ピンゼルが現れた。出自も生年も不明で、この地方の領主ポトツキ家に仕え、リヴィウ東南のブチャチを中心に活動し、多くの聖堂の祭壇や外部に石や木彫の彫刻を遺《のこ》した。それらは、激しい感情を表した表現主義的なものである。チェコやポーランドの彫刻の影響を受けたと思われるが、リヴィウに残る《嘆きの聖母》や《イサクの犠牲》（図1-3）などに顕著な、紙のように固く屈曲して翻る衣などのデフォルメや過剰な表現はまったく独自のものである。長らく忘れ去られていたが、二十世紀後半にウクライナの美術史家ボリス・ヴォズニツキによって再発見され、一九九一年のウクライナ独立以後、ますます評価されている。

リヴィウの聖ユーラ大聖堂はバロック様式による東方典礼教会だが、そのファサードの尖塔にはピンゼルによる《竜を退治する聖ゲオルギウス》（図1-4）が見られる。この聖人は全体に比べて頭や手先が小さく、ビザンツやノヴゴロド派によく見られる同主題のイコンのような軽快さと躍動感に満ちている。ヴォズニツキらは、ピンゼル作品のこうしたデフォルメや様式的な衣文は、西洋のバロック様式と東方のビザンツ様式の混交したところから生まれたとした。現在も続くウクライナ戦争では、人々が教会に付属しているこうしたピンゼルの彫刻を梱包して攻撃から守ろうとしている姿が報道されて印象に残った。

図 1-3　ヨハン・ピンゼル《イサクの犠牲》
リヴィウ、ピンゼル美術館

図 1-4　ヨハン・ピンゼル
《竜を退治する聖ゲオルギウス》
リヴィウ、聖ユーラ大聖堂

カラヴァッジョの少年像

二〇二四年初頭、福岡市美術館で「永遠の都ローマ展」が開催された。カピトリーノ美術館の所蔵品を中心に、神話時代から近代にいたる都市ローマの歴史と文化を概観するもの。カピトリーノ美術館はカンピドーリオの丘に建つローマ最古の美術館である。

この展覧会は二〇二三年秋、東京都美術館で開催されて巡回したものだが、東京会場では有名な古代彫刻《カピトリーノのヴィーナス》が展示されており、福岡ではその代わりにカラヴァッジョの傑作《洗礼者ヨハネ》（図1‐5）が展示された。希少なカラヴァッジョの真筆作品の中でも初来日で、これを見るために博多まで行ってきた。ローマで数えきれないほど見ている絵だが、遠く離れた日本でじっくり見る日が来ようとは思わなかった。

この作品は、カラヴァッジョの円熟期にパトロンであったローマのマッテイ家のために描かれたもので、羊を抱いてほほえんでいる裸の少年を正面から大きく描いている。少年のポーズはミケランジェロの描いた裸体青年像に由来し、おそらくは弟子の少年をモデルにしており、裸体の精妙な陰影や質感の表現は比類がない。

図1-5　カラヴァッジョ《洗礼者ヨハネ》
1602年　ローマ、カピトリーノ美術館

図 1-6　グエルチーノ
《洗礼者ヨハネ》 1645-49年
ローマ、カピトリーノ美術館

　だが、この絵の主題はよくわかっていない。もし少年が「洗礼者ヨハネ」であるとすれば、彼が抱いているのは角の生えていない子羊でなければならず、またキリストに洗礼を施した椀や、会場に並んでいるグエルチーノの晩年の同主題作品のように十字架状の杖を持っていなければならない（《洗礼者ヨハネ》図1 - 6）。そのためこの少年は聖人ではないのではないかという意見もあり、単に「牡羊と少年」というタイトルで呼ばれることもある。

　近年イタリア人の研究者からこの絵の主題は「解放されたイサク」ではないかという説が出された。旧約聖書のアブラハムは神から息子イサクを犠牲に捧げよと命ぜられ、泣く泣く犠牲にしようとしたところ、天使が来てそれを止めた。この少年は自分の代わりに犠牲となった牡羊を抱いて喜んでいる情景だというのである。画面左下に、薪が赤くなったように見える部分があり、少年が坐っているのが火のついた祭壇であるという指摘もなされた。ただしこの赤い部分は下層の絵具が浮き出たにすぎないようにも見える。

この「解放されたイサク」という主題は美術史上一度も表現されたことがないため、断定するのもためらわれる。そのため私はいつも「洗礼者ヨハネあるいは解放されたイサク」と記述してきたが、カラヴァッジョ自身があえて主題をあいまいにした可能性もあると思っている。

このように主題解釈をめぐって議論のたえない作品であるが、そのようなことを知らなくても、少年の実在感や見事な写実描写を日本で堪能することができるのは幸いであった。

フェルメールとベラスケス

二〇二二年夏、関西でヨーロッパの二つの美術館の所蔵品展が開催された。大阪市立美術館の「ドレスデン国立古典絵画館所蔵　フェルメールと17世紀オランダ絵画展」と、神戸市立博物館の「スコットランド国立美術館　THE GREATS　美の巨匠たち」展である。ドレスデン国立古典絵画館もスコットランド国立美術館も歴史ある名高い大美術館である。どちらの展覧会にもレンブラントが一点ずつ含まれているが、フェルメールとベラスケスという、十七世紀バロック美術を代表する巨匠の名作が注目される。

前者の展覧会には、フェルメールの《窓辺で手紙を読む女》が展示された（図1-7）。この作品は今までに二度ほど来日したことがあるが、今回は修復の結果、背後の壁にキューピッド、つまり愛の神の絵が現れた状態をはじめて見ることができる。この画中画の存在は以前から知られていたが、画家自身が塗りつぶしたと思われてそのままになっていた。しかし、塗りつぶされたのが画家の百年ほど後であることがわかって、その絵具層がはがされたのであった。

図 1-7　フェルメール《窓辺で手紙を読む女》
1657-59年頃　ドレスデン国立古典絵画館

背後に愛の神の絵が現れたことにより、女の読む手紙は恋人からの手紙だとわかる。さらに愛の神が欺瞞《ぎまん》を表す仮面を踏んでいることから、彼女は遊びではない真実の愛に生きていることが示される。フェルメールはしばしば画中画によって作品に意味を与えたが、この作品もそうした一点となったのである。窓枠の青や手前の絨毯など、洗浄によって鮮やかになった色彩も見ものである。

後者の展覧会の目玉は何といっても初来日したベラスケスの《卵を料理する老婆》である（図1‐8）。ベラスケスが十九歳のとき故郷セビーリャで描いた作品。後にマドリードに出て国王の宮廷画家になってから見せる印象派の先駆となるような闊達な筆触は見られず、筆跡のほとんど見られない入念な描写によって庶民の台所の調理風景を描いている。この作品のように、初期のベラスケスは食材や厨房を描くボデゴンと呼ばれる厨房風俗画を何度も描いたが、それらは故郷スペインにはほとんど残っておらず、よいものはみなイギリスにある。

少年の抱えるメロンとフラスコ、琺瑯《ほうろう》の鍋、その中で固まりつつある卵、手前の銅製のニンニクすり鉢、陶磁器や素焼きの器、唐辛子や紫タマネギなどの質感を見事に描き分けており、その迫真の描写は驚嘆に値する。調理の情景を写実的に描いたものというより、様々な素材を見事に描き分けた成果を見せるための絵であるといってよい。若き日のベラスケスは

図 1-8　ベラスケス《卵を料理する老婆》
1618年　スコットランド国立美術館

自分の技量を試すように、写実性の極限に挑戦したのであろう。まさに神品とよぶべき傑作である。

どちらの展覧会も、こうした名作一点を見るためだけに暑い中でも足を運ぶ価値があった。

テート美術館展

二〇二三年、東京の国立新美術館と大阪中之島美術館で「テート美術館展　光」が開催された。テート美術館は、ロンドンにあるイギリス美術の殿堂で、十九世紀までの美術を集めたテート・ブリテンと二十世紀以降の美術を扱うテート・モダンに分かれる。後者はイギリス以外の現代美術も広く収蔵している。

今回は「光」をテーマにしたもので、十八世紀のウィリアム・ブレイクから現代のオラファー・エリアソンまでを展示する。西洋美術は東洋とちがって古代から光の表現を追求してきた。ルネサンスに合理的な明暗描写が完成すると、次のバロック時代には光が主人公といってよいような劇的な描写が流行し、十八世紀のロマン主義では現実には見られない幻想的な光も表現されるようになった。十九世紀の印象派は屋外の日光を画面に正確に写し取ろうとし、二十世紀後半には実際に光を放つ彫刻やインスタレーションも登場した。

イギリスの国民的大画家ターナーは、人間を圧倒する自然の猛威やドラマを描いたが、今回展示されている《湖に沈む夕日》（図1-9、次ページ）は晩年の彼の画風の典型を示してい

図1-9　J.M.W. ターナー《湖に沈む夕日》
1840年頃　ロンドン、テート・ブリテン

る。夕日が湖に反射し、水と空が溶け合って一体となっており、夕日の他は何のモチーフも見られず、茫漠とした空間が広がっている。しかし、繊細な筆触によって描かれた広い画面に近づいて見ると、微妙な色彩に満ちているのがわかる。ターナーはゲーテの色彩論などを通して、色彩の心理的効果や、色彩によって光をいかに表現するかを模索していた。その画面は実景を基にしながら、構想によって作り上げた造形上の表現でもあった。

本展にはこうしたターナーの作品のほか、そのライバルでイギリスの穏やかな自然を素直な視点で描き続けたコンスタブルの作品も出品されており、印象派の先駆となった両巨匠を見比べることができる。

図 1-10　ウィリアム・ホルマン・ハント《無垢なる幼児たちの勝利》
1883-84年　ロンドン、テート・ブリテン

ラファエル前派の画家ウィリアム・ホルマン・ハントの大作《無垢なる幼児たちの勝利》（図1‐10）は、今回の目玉といってよい。聖家族のエジプト逃避という主題に加え、ヘロデ王によって殺された幼児たちの魂を加えた独自の図像を示している。ハントは実際にパレスチナに赴き、その風景や環境を宗教画に取り入れた。画面に浮かぶシャボン玉のような球体はメタリックな輝きを放ち、構造色を示している。構造色とは、同じ光の下でも構造上から多色に見えたり、色が変化したりするもので、貝殻やシャボン玉に見られる。

　イギリス人は自然を愛好し、庭園や風景画を流行させたが、同時にこの画家や、詩人で画家でもあったブレイクのように、豊かな想像の世界に沈潜する幻想的な傾向も顕著である。イギリス美術のこうした多様な魅力を堪能できるよい機会であった。

北宋書画精華

二〇二三年十一月、東京の根津美術館で「北宋書画精華」という展覧会が開催された。中国美術史の第一人者、東京大学東洋文化研究所の板倉聖《まさ》哲《あき》氏の監修により、北宋の貴重な書画を集めた世界的にも画期的な展覧会で、美術関係者の間では半年以上前から話題になっていた。展覧会のキャッチコピーは、「きっと伝説になる」となっているが、長く語り草になることはまちがいない。入場は日時指定予約制となっていた。

日本の平安時代後期に当たる北宋時代（九六〇～一一二七年）は、中国美術の黄金時代であり、その書画や工芸は長く中国の古典となった。日本には室町時代に北宋の次の南宋の書画が数多くもたらされて禅林や茶室で尊重されたが、北宋の書画はほとんど伝来しなかった。一九一二年の清帝国の崩壊後、世間に流出した北宋の書画を主に関西の実業家たちが収集し、こうした「新渡り」の作品によって日本でも北宋書画のすばらしさが認識されるようになったのである。歴代の皇室に伝えられてきた文物の大半は台湾の国立故宮博物院に所蔵されているが、それ以外の重要な作品の多くは日本とアメリカにある。

五年前、写真のみで知られており、第二次大戦中に消失したとされた李公麟《りこうりん》の「五馬図巻」が板倉氏によって東京で再発見されたことは、美術界の大きな話題になった。東京国立博物館での「顔真卿展」に出品されたのを見たが、写真では想像できなかった繊細な描写や彩色に驚いた。今回は、修復が終わったこの「神品」に加え、白描の名手、李公麟のもうひとつの代表作「孝経図巻」がニューヨークのメトロポリタン美術館（ＭＥＴ）から来日し、両者を見比べるまたとない機会となっており、両者の線描の相違がわかって興味が尽きなかった。

北宋の山水画は、小ぶりな南宋のそれに比べてスケールの大きさに特色がある。日本にある二大名作といってよい李成《りせい》の《喬松平遠図《きょうしょうへいえんず》》（図１‐11）と董源《とうげん》の《寒林重汀図《かんりんじゅうていず》》（図１‐12、58ページ）はそれをよく示している。いずれも縦が二メートルほどあり、見上げるような大画面だ。それぞれの作品は所蔵館で見ていたが、今回、両大作を並べて見られるのが何よりも楽しみであった。

四日市の澄懐堂《ちょうかいどう》美術館の所蔵する《喬松平遠図》では、大きな二本の松の先に華北の荒涼とした黄土が広がっている。西宮市の黒川古文化研究所の《寒林重汀図》は、夕暮れの光に覆われた江南の水郷地帯を俯瞰している。近づいて見ると、微細な人物よりも大きな黒い

図 1-11　李成《喬松平遠図》
五代－北宋　10世紀　四日市、澄懐堂美術館

図1-12　董源《寒林重汀図》
重要文化財　五代　10世紀　西宮、黒川古文化研究所

点苔《てんたい》がちりばめられており、大胆さと繊細さが併存した画面である。近年の蛍光X線分析によって、画面のあちこちに鉛白によって降雪が表現されていることがわかったという。

後期には《孔雀明王像》や《桃鳩図》といった滅多に見られない名品も出た。北宋絵画は世界の美術史上でも傑出しており、それらにふれるのはまさに眼福であった。

山水画と風景画のあいだ

人は美しい景色を見ると感動する。だがそれは風景画や風景写真を見た記憶や経験がそうさせるのであって、それらが登場する以前は、人が目の前の景色に感動することはほとんどなかった。今や風景画はもっとも人気のあるジャンルである。誰しも美術の授業で屋外の景色を写生した経験があるだろうし、旅先で出会った景色や観光地の写真を撮る人はさらに多いだろう。

西洋では風景画が誕生したのはかなり遅く、十六世紀になってからであった。これに対し、中国ではその千年以上前から自然を表現する山水画があり、日本でも中世に移入された。ただし、山水画は実景をそのまま描くものではなく、実景を基にしても基本的に胸中の理想郷を表現するものであった。日本ではこうした山水画がいかに風景画に変容したのだろうか。二〇二二年に下関市立美術館で開催された「山水画と風景画のあいだ—真景図の近代」展では、そのような日本の風景画の成立史を扱った。企画した学芸員、藪《やぶ》田《た》淳《じゅん》子《こ》氏（現静岡文化芸術大学）は私の教え子であり、連続講演会を依頼されて行ってきた。

図 1-13　狩野芳崖《馬関真景図巻》部分
1842年　個人蔵（下関市立美術館寄託）

日本では室町時代以降、中国に由来する山水画が流行するが、江戸時代になると実証的・合理的な風潮から、文人画家や洋風画家が実景を描く「真景図」が流行した。真景図は風景画に近いものもあったが、印象を重視する主観的なものや、日本の景観を中国の名所に見立てるものが多かった。また、江戸時代は旅行がブームとなり、名所図会や浮世絵でも各地の名所が表現された。

本州の西端に位置する交通の要衝、下関は多くの文人や画家が行き交った文化の十字路であった。この展覧会ではそこに滞在した田能村竹田《たのむらちくでん》による真景図など、下関や長州ゆかりの作品が多く出品されていた。下関の長府藩出身で近代日本画の父となった狩野芳崖《ほうがい》がわずか十五歳のときに描いた《馬関真景図巻》（図1-13）は、多くの船が停泊してにぎわう幕末の港町をいきいきととらえた長大な画巻である。

図 1-14　高橋由一《琴平山遠望図》
1881年　金刀比羅宮蔵

　明治期になると油彩技術によって日本の風景が描かれるようになるが、何の変哲もない風景を描くよりも、古来の名所を描くことが多かった。明治洋画の父である高橋由《ゆ》一《いち》の代表作《琴平山遠望図》（図1‐14）もそのひとつだが、山や田畑の遠近感や手前の草の質感など、それ以前には見られない迫真性が見られる。

　一方、洋画でない伝統的な絵画は日本画と呼ばれるようになり、伝統的な山水画や名所絵ではない風景画が生み出される。一九〇〇年前後にようやく「風景」という言葉が定着し、水彩画が一般に流行したこともあって、身近な景色を描く風景画が増えた。

　日本では、山水画が突然風景画に移行したのではなく、江戸時代の真景図を経てゆるやかに風景画が成立したのである。こうした日本の自然表現の変遷を、江戸から大正期までの作品によってたどる意欲的な展覧会であり、歴史ある風光明媚な海峡の町で見るのは格別であった。

第2章

巨匠たちの舞台

幕末土佐の天才絵師、絵金

二〇二三年四月から六月にかけて、あべのハルカス美術館で「幕末土佐の天才絵師　絵《え》金《きん》」展が開催された（図2-1、次ページ）。絵金とは幕末の土佐で活躍した絵師金蔵こと林《はやし》洞《とう》意《い》または弘瀬《ひろせ》柳栄《りゅうえい》のこと。江戸に出て狩野派に学び、若くして土佐藩の家老の御用絵師になるも、贋作事件に巻き込まれて城下追放となり、赤岡の町で一介の町絵師として芝居絵、絵馬、提灯《ちょうちん》、幟《のぼり》、凧絵などに腕を振るい、庶民に圧倒的な人気を博した。

それらは芝居の名場面を極彩色の泥絵具によって大胆な構図で描いたもので、幕末特有のどぎつさやエロス、血みどろの残虐表現にあふれ、強烈なインパクトを与える。しかし、絵金の後に同じ駿河台狩野家の前村洞和《とうわ》に学んだ河鍋《かわなべ》暁斎《きょうさい》と同じく、狩野派の筆法に裏打ちされた基本的な技術がしっかりしているために、どんなにどぎつい場面を描いても卑俗に陥ることはなく、注意深く配置された人物とポーズによる入念な構成を示している。

明治維新後しばらく忘れられていたが、一九六〇年代後半からにわかに注目を集め、当時のアングラブームに乗って一躍ブームになり、東京と大阪のデパートなどで展覧会が開催さ

図 2-1　「幕末土佐の天才絵師　絵金」展会場　あべのハルカス美術館

れた。その後ブームは沈静化したが、一九九六年と二〇一二年には高知県立美術館で大規模な展覧会があり、美術史的な評価も定着しつつある。今回は高知以外で約半世紀ぶりに開催された大規模な展覧会である。

　氏子たちによって神社に奉納された芝居絵は、今でも各地の神社の夏祭りに並べられ、土佐の夏の風物詩となっている。

　香南市赤岡町の絵金祭りでは、商店街の軒先に住民の所蔵する二十数点の絵金とその一派の二曲屏風や衝立がずらりと並べられる（《浮世柄比翼稲妻　鈴ヶ森》図2-2）。七月の第三土曜日と日曜日に開催され、毎年全国から二万人もの観光客が訪れるという。洋品店や菓子屋など様々な店先に屏風が立てられ、その前には裸電球や蝋《ろう》燭《そく》がともされる。南国の蒸し暑い夜におぼろげな光によって、おどろおどろしい切腹や惨殺の絵が浮かび上がる様は圧巻であり、一度は訪れる価値があると思う。

絵金の作品は美術館の明るい展示ケースの中で鑑賞するよりも、民衆の熱気にあふれる屋外で蝋燭《ろうそく》の光によって見るべきものであろう。

図 2-2　絵金《浮世柄比翼稲妻　鈴ヶ森》
香南市赤岡町本町一区

今回の展覧会では、絵金の作品の多くが提灯や絵馬台とともに設置されている。神社の絵馬台は忠実に復元され、土佐の須留田《するだ》八幡宮、朝倉神社、愛宕《あたご》神社などの夏祭りでの鑑賞が追体験できるようになっている。しかも、数十秒ごとに天井の照明と提灯の照明とが切り替わるようになっており、本来の場所と雰囲気が見事に再現されていた。それによって美術館は、絵金が本来の力を得て生動する劇場になったのである。

奇想の画家・長沢芦雪

二〇二三年から翌年にかけて、大阪中之島美術館と九州国立博物館で「生誕270年　長沢芦雪《ろせつ》——奇想の旅、天才絵師の全貌——」展が開催された。丹波出身で十八世紀後半に京都で活躍したこの画家は、江戸時代の「奇想の画家」としてすっかり人気が定着し、二〇一七年に愛知県美術館で大規模な展覧会が開かれたことも記憶に新しい。

今回の展覧会は大阪では初の回顧展であり、大阪中之島美術館では初の近世美術の展覧会であるという点でも意義深かった。

本州最南端の和歌山県串本町にある無量寺の襖を飾るユーモラスな「虎図」をはじめ、奇抜で大胆な画風が印象的な芦雪だが、「牡丹孔雀図」のように師の円山応挙《まるやまおうきょ》の画風とそっくりな緻密で写実的な花鳥画も得意とした。こうした着実な写実技法の裏打ちがあってこそ、自由奔放な奇想が発揮できたのである。

松江市の西光寺にある《龍図襖（昇龍図）》（図2-3）は、近年修理が終わった今回の目玉作品のひとつであった。四面の襖全体に龍がのたうち回っている。雲も水もなく、蛇のよう

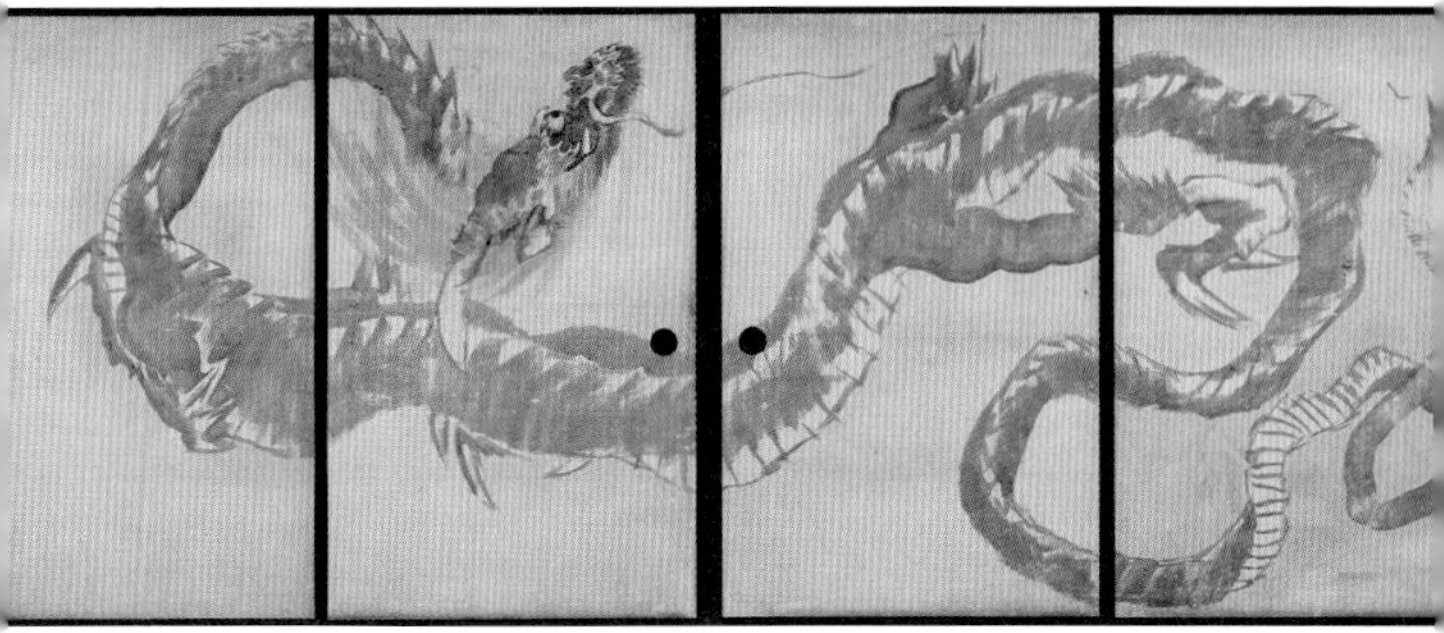

図2-3　長沢芦雪《龍図襖（昇龍図）》
松江市指定文化財　江戸時代・18世紀　島根、西光寺

に胴体全体を見せるこの龍の形態は、前衛書のようにダイナミックでのびやかに広がっている。この作品と対になる「雲龍図」や、このすぐ後に制作された無量寺の「龍図襖」では、雲の中から鋭い爪や顔を突き出す龍が描かれており、同じ龍でもまるで異なっている。芦雪がいかに型にはまらない自由な発想をもっていたかを感じさせる。

　兵庫県香《か》美《み》町《ちょう》にある大乗寺は、応挙の代表作があることでよく知られているが、芦雪は応挙門下の他の絵師たちとともに腕を振るった。中でも《群猿図》（図2-4、次ページ）では、緊密に配置された大勢の猿が様々な表情やしぐさを見せ、あたかも会話しているようである。空想の産物であった龍や虎とちがい、自然観察の成果を示している。芦雪はおそらく一〜二匹の猿を徹底的に観察してその姿態や癖

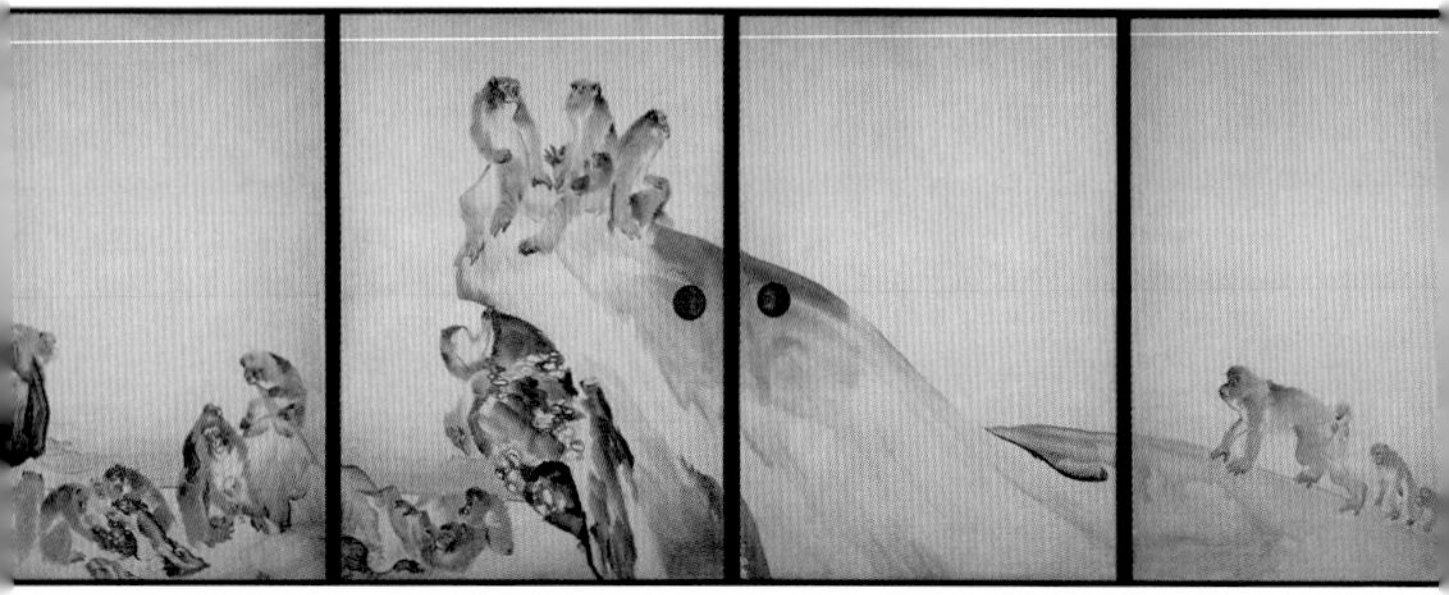

図 2-4　長沢芦雪《群猿図（部分）》重要文化財
寛政 7 年（1765）　兵庫、大乗寺

を把握したのであろう。

また、芦雪ほど画面の大きさに自覚的だった画家は稀《まれ》である。一寸（約三センチ）四方の画面に五百人の羅漢を描き込んだり、巨大な象や牛を小さな子犬や鳥と対比させたりという、見る者を驚かせるような仕掛けを得意とした。さらに、大きな襖の空間を生かして臨場感や躍動感を演出した。それらは見る者の視点の位置や動きまでを想定して計算されている。

芦雪は四十六歳で没し、工房をかまえることもなかったため、その画風を継承する者はいなかった。しかし彼の作品は人気が高かったせいであろうか、真偽のあやしいものも含め膨大な数が遺っている。いずれも惰性に陥ることなく、新鮮で創意にあふれており、現代ますますその輝きを増しているようだ。

佐伯祐三と異文化の壁

二〇二三年春、大阪中之島美術館で「佐伯祐三―自画像としての風景」展が開かれた。この美術館は、寄贈された山本發《はつ》次《じ》郎《ろう》コレクションを核として佐伯祐三の代表作のほとんどを所蔵しており、この展覧会は開館一周年の記念展である。

パリを描いたことで知られる大阪出身の洋画家、佐伯祐三の展覧会は今まで何度も開催されてきたが、今回はもっとも規模が大きく、網羅的な回顧展となっている。初公開の作品も多く、見ごたえがあった。

東京美術学校卒業後、パリに渡った佐伯は、尊敬する画家ヴラマンクにルノワール風の女性像を見せたところ「このアカデミック！」などとさんざん罵倒され、一念発起して自らの画風を模索する。当初描いていた印象派風の穏やかな色彩や構成を捨て、ヴラマンク風の激しい筆触と色彩によってパリの街や郊外の風景を繰り返し描いた。

やがて彼は、壁に貼られたポスターの文字に注目するようになり、空間の広がりよりも壁面が画面を覆うようになった。《壁》（図2-5、次ページ）では、建物の黄色い壁を正面から

図2-5　佐伯祐三《壁》
1925年　大阪中之島美術館

とらえ、そこに記された「引っ越し」「１８６０年創立」といった文字を丁寧に写し取っている。重厚な壁面の色調や凹凸も繊細に表現されているが、多くの文字がアクセントとなって単調さを免れ、味わい深い画面となっている。この大きな壁面は、佐伯に立ちはだかった西洋の堅固な伝統の壁でもあり、彼はそこに正面からぶつかっているようである。

画面に文字を導入することは、一九一〇年前後にピカソやブラックが試みた総合的キュビスムにも見られ、やがて二十世紀の前衛美術では一般的となるが、佐伯がそうした傾向を知っていたかどうかは不明だ。彼はユトリロ風のパリ風景に文字を導入することで、大都市特有の様々な営みや行き交う情報を暗示するとともに、文字の線描が画面を活気づけることを発見したのであろう。

一時帰国の後、二度目のパリではさらにこうした傾向が推進され、文字は踊るように大胆になって判別困難となっている。《レストラン（オテル・デュ・マルシェ）》（図２‐６）では、壁面の文字が椅子やテーブルの線と呼応し、線描のリズムによって画面全体が躍動している。翌年には力尽きて倒れる佐伯の到達した頂点を示しているようだ。

図 2-6　佐伯祐三
《レストラン（オテル・デュ・マルシェ）》
1927年　大阪中之島美術館

佐伯祐三の芸術は、つねに求道的で激しい葛藤を思わせる緊張感があり、見ていて息苦しささえ感じるのだが、それは彼が西洋美術の中心地パリで、西洋の文化や風景と真剣に対峙《たいじ》していたからにほかならない。彼がパリで感じた孤独や冷たさとともに、厳然と立ちはだかって乗り越えがたい異文化の壁に全力でぶつかったことが、こうした先鋭的な芸術を生み出したのだろう。

モネと連作

印象派の創始者にして中心的画家クロード・モネの展覧会「モネ──連作の情景」展が二〇二三年から二〇二四年にかけて、上野の森美術館と大阪中之島美術館で開かれた。モネは日本では広く人気があり、展覧会も数多く開かれてきた。

日本には百点以上のモネ作品があり、国内のモネを集めればすぐに展覧会ができるほどである。戦前からモネは熱心に収集されてきたが、とくにバブル期にモネは異常なほど人気を集め、膨大な作品が入ってきた。しかし、二千点以上の作品を描いたモネの作品でも、質の高いものは日本にはそれほど多くない。そのようなわけで、今回もさして期待せずに訪れたのだが、海外から広く作品を集め、初期から晩年までの作品がそろった充実した展覧会であった。

会場の最初に展示された《ルーヴル河岸》（図2-7）は、初期のモネの特質を表す傑作である。ルーヴル宮殿の二階のバルコニーからセーヌ河岸を見下ろした光景をとらえている。ちょうどこのころパリでは第二回万博が開催され、街は大いににぎわっていた。細かなタッ

図 2-7　モネ《ルーヴル河岸》1867年頃　デン・ハーグ美術館

チで手前の岸に行き交う人々や馬車、画面左に伸びる橋、ポン・ヌフの上のにぎわいも的確にとらえられている。何よりも広大な空と日差しの明るさが印象的であり、モネの関心が都市の活気と光にあったことがわかる。こうした現代生活を描くことが印象派の原点であった。

　モネは次第に、同じ景色でも一日の時間によって見え方が異なることに注目し、連作という形でそれを表現するようになる。積みわらやポプラ並木、ルーアン大聖堂の連作はモネ芸術の代名詞になった。

　晩年の六十歳前後、モネはロンドンに滞在してサヴォイ・ホテルから見下ろすテムズ川にかかるチャリング・クロス橋やウォータールー橋を繰り返し描いた。今回三点出品されたウォータールー橋の連作は、いずれも曇り空や夕暮れの淡い光によって橋はぼんやりとしか見えない。《ウォータールー橋、ロンドン、日没》（図2－8）では、橋は日没の最後のあえかな光を反射するかのようにとぎれとぎれになっており、《ウォータールー橋、ロンドン、夕暮れ》（図2－9）ではその最後の光も消えかかってすべてが霧の中に沈んでいる。遠方の煙突の煙や橋の上の人馬のにぎわいはわずかに暗示されるにとどまっており、大都市の活況や人々の営みはもはや画家の関心にないことがわかる。代わってロンドン特有の霧にけぶる光が見事に写し取られている。

この連作はモネの到達した境地をよく示しており、彼は以後ジヴェルニーの自宅の庭に睡蓮を浮かべた大きな池を作り、没年までひたすら人物の姿の見られない睡蓮の連作に取り組むことになる。

モネが描いたパリとロンドンという二大都市の光景を比べることで、モネの様式の深まりや真価を感じることができるだろう。

図 2-8　モネ《ウォータールー橋、ロンドン、日没》
1904年　ワシントン、ナショナル・ギャラリー

図 2-9　モネ《ウォータールー橋、ロンドン、夕暮れ》
1904年　ワシントン、ナショナル・ギャラリー

ピカソとその時代

パブロ・ピカソは二十世紀最大の巨匠として世界中で非常に人気があり、日本の美術館にも多くの作品が収蔵されている。二〇二二年から二〇二三年にかけて、東京の国立西洋美術館と大阪の国立国際美術館で開催された「ピカソとその時代　ベルリン国立ベルクグリューン美術館展」は、ピカソを中心に、彼と並ぶ巨匠マティスのほか、何よりもスイスの巨匠パウル・クレーのよい作品が数多く出品されていた。それらは、これまでほとんど来日したことがなく、画集にもあまり載っていない珍しい作品が多くて見ごたえがあった。

また、同じころポーラ美術館とひろしま美術館で開催された「ピカソ　青の時代を超えて」展は、ピカソの初期の「青の時代」に焦点を当て、ポーラ美術館とひろしま美術館の所蔵品を中心に多くの作品を集め、近年の光学調査で判明した彼の制作のプロセスに迫った好企画であった。

スペインで生まれてフランスで活躍したピカソは、前述の「青の時代」から「バラ色の時代」、キュビスム、古典主義時代とめまぐるしく作風を変遷させてきた。没するまでほぼ毎日制作し、大小様々な膨大な作品を残した。

　中でも盟友ブラックとともに推進したキュビスムは二十世紀美術の最大の革新運動であり、後の美術に多大な影響を及ぼした。三次元の物体をばらばらに解体し、画面上に再構成するこの手法は、次第に色彩の少ないモノクロームの抽象絵画に近くなっていったため、やがて紙や布を貼り付けるコラージュや色彩によって現実性を回復していった。「ピカソとその時代」展では、こうした「分析的キュビスム」から「総合的キュビスム」への変遷を物語る貴重な作品が出品されている。《マ・ジョリ》（図2‐10）は、ギター、パイプ、サイコロなどの載ったテーブルが描かれ、背後の楽譜にタイトルの文字が記されている。これは、「ぼくのかわいい人」という流行歌の一節で、当時のピカソの恋人エヴァ・グエルの愛称でもあった。その三年ほど前に描かれた同じ

図2-10　ピカソ《マ・ジョリ》
1914年　ベルリン国立ベルクグリューン美術館

図2-11　ピカソ《窓辺の静物、サン＝ラファエル》1919年　ベルリン国立ベルクグリューン美術館

タイトルの作品がニューヨーク近代美術館（MoMA）にあるが、それは薄暗いモノクロームで線が錯綜した画面であるのに対し、ここでは緑が鮮やかな明るい画面となっている。

その五年後に描かれた《窓辺の静物、サン＝ラファエル》（図2‐11）は、青い海に面したテラスの見える部屋に置かれたテーブルにやはりギターや楽譜が載っているが、明るい色彩とともにより現実的な描写となっている。このころピカソは地中海の風物にふれて健全で古典的な描写に回帰しつつあった。

ピカソといえば、奔放な創造力によって次々にダイナミックな作品を制作したと思われがちだが、これらの小品は、彼がときに非常に注意深く、クレーにも通じる繊細な描写に取り組んでいたことを印象づける。

マティスの絵画世界

二〇二三年の春から夏にかけて、久々の「マティス展」が東京都美術館で開かれた。本来は前年に開催される予定だったが、コロナ禍で延期になってしまい、ようやく実現したものである。

マティスはピカソと並ぶ二十世紀最大の巨匠だが、日本ではピカソほど目にする機会はなく、展覧会もそれほど開催されてこなかった。しかし、マティスほど本物を実際に見ないとわからない画家は稀である。彼の作品を特徴づける鮮やかで微妙な色調や繊細な筆触は、複製図版では再現が困難である。その意味で、東京のみの開催だが、美術ファンに待ち望まれていた展覧会であった。翌年春には国立新美術館で晩年の切り紙絵やヴァンスのロザリオ礼拝堂に焦点を当てた展覧会も開催された。

実は、マティスの代表作の多くはロシアとアメリカにあって本国フランスには意外に少ないため、パリの国立近代美術館の作品を中心とした今回の展覧会にはそれほど期待していなかった。しかし、実際に見てみるとやはりそれなりに見ごたえがあった。マティスは生涯に

図 2-12　アンリ・マティス《コリウールのフランス窓》1914年
ポンピドゥー・センター／国立近代美術館

わたって造形的な追求を続けており、気楽に描いたように見えても、どの作品も彼の真剣な探求を感じさせる。その意味で、代表作は少ないとはいえ、初期の写実的な作品から晩年の切り紙絵まで生涯を通じての作品を見ることのできる今回のような回顧展は、マティス芸術を理解するには恰好の機会となっている。

《コリウールのフランス窓》（図2-12）は今回の出品作でもっとも重要な作品である。開いた窓の外は真っ暗であり、黒い色面が大きく広がる。アメリカの画家マーク・ロスコの抽象画を思わせるような単純な画面であり、窓外の風景は一度描いたものの塗りつぶされたようである。第一次大戦の始まったころに描かれたことから、その不安を表したともいわれるが、それよりも色彩画家マティスの造形的な実験の結果だと思われる。

三原色を混ぜると黒になるが、この黒い色面には、多くの色の記憶や痕跡が残っているようだ。古来、窓というものは絵画の象徴であり、その向こうに世界が広がっているはずだが、この黒い色面は、絵画は奥行きを表すものばかりではないということを思わせる一方、無限に向かって開かれた深淵のようにも感じられる。

一方、晩年に描かれた《大きな赤い室内》（図2-13、次ページ）はよりわかりやすく、マティスの装飾性がきわだつ作品である。全体を覆う赤い色面に、様々な家具が描かれている。奥には二枚の自作の絵画が掛けられているが、部屋の角にもかかわらず斜めになっていない。マティスは生涯にわたって画中画を描いたが、それらは窓と同じく、画面空間を拡大して画面を複雑で豊かにする装置であった。

きわめて入念に構想され、じっくりと描かれたマティスの絵画世界は、作品の前に立って見れば見るほど味わい深く、魅力と謎が尽きないのだ。

図 2-13　アンリ・マティス《大きな赤い室内》
1948年　ポンピドゥー・センター／国立近代美術館

モディリアーニの裸婦

二〇二二年春、大阪中之島美術館で開館記念特別展「モディリアーニ展――愛と創作に捧げた35年――」が開催された。二十世紀初頭のエコール・ド・パリを代表する画家モディリアーニは日本では戦前から人気があり、美術館にも個人にも多くの作品が所蔵されている。今回の出品作も国内の作品だけで半分以上を占める。二〇〇八年には二種類のモディリアーニ展が全国を巡回したが、今回はそれ以来の久々の展覧会である。

大阪中之島美術館は準備室時代の一九八九年、モディリアーニの《髪をほどいた横たわる裸婦》を約十九億円で購入し、それが高すぎるのではと物議をかもした。しかもそれから三十年以上も美術館は開館せず、このモディリアーニも人々の記憶から薄れていった。そんな中、先日ようやく開館してモディリアーニ展が開催され、その中心的な作品としてお披露目するにいたったのである。まったく慶賀にたえない。

パリでこの画家と親しく交友した藤田嗣治や、画集を介してモディリアーニに傾倒した松本竣介といった画家たちの作品や資料によって、モディリアーニと日本との関係を特集したコーナーも設置されていた。また、この美術館に多数収蔵されている二十世紀初頭のパリを彩ったポスターや他のエコール・ド・パリの画家たちの作品、さらにモディリアーニに刺激を与えたアフリカ彫刻も国立民族学博物館の所蔵品が展示され、この画家を時代の中に正当に位置づける試みがなされていた。

首の長い女性半身像で知られるモディリアーニは、彫刻家を志した後もっぱら肖像画を描いていたが、一九一七年から一八年にかけて画商ズボロフスキーの勧めで精力的にヌードを描いた。それらは一見エロティックであり、一九一七年に開催された画家唯一の個展では、ショーウィンドウに飾られた裸婦像が警察に撤去を命じられたほどであった。しかしそれらはいずれも、彫刻制作にも通じるこの画家の造形的な探求が、イタリア・ルネサンス以来の西洋の裸婦像の伝統と融合した傑作となっている。

今回アントウェルペンから来日した《坐る裸婦》(図2-14)は、《髪をほどいた横たわる裸婦》(図2-15)と同じモデルが坐っている姿を描いたもので、モディリアーニの特色である流れるような線描が見事である。この両作品が並んで展示されているのが今回の展覧会の最大の見どころであった。

褐色の肌に黒い髪のこの女性は、画家の故郷のイタリアやスペインなど南欧の女性と見る

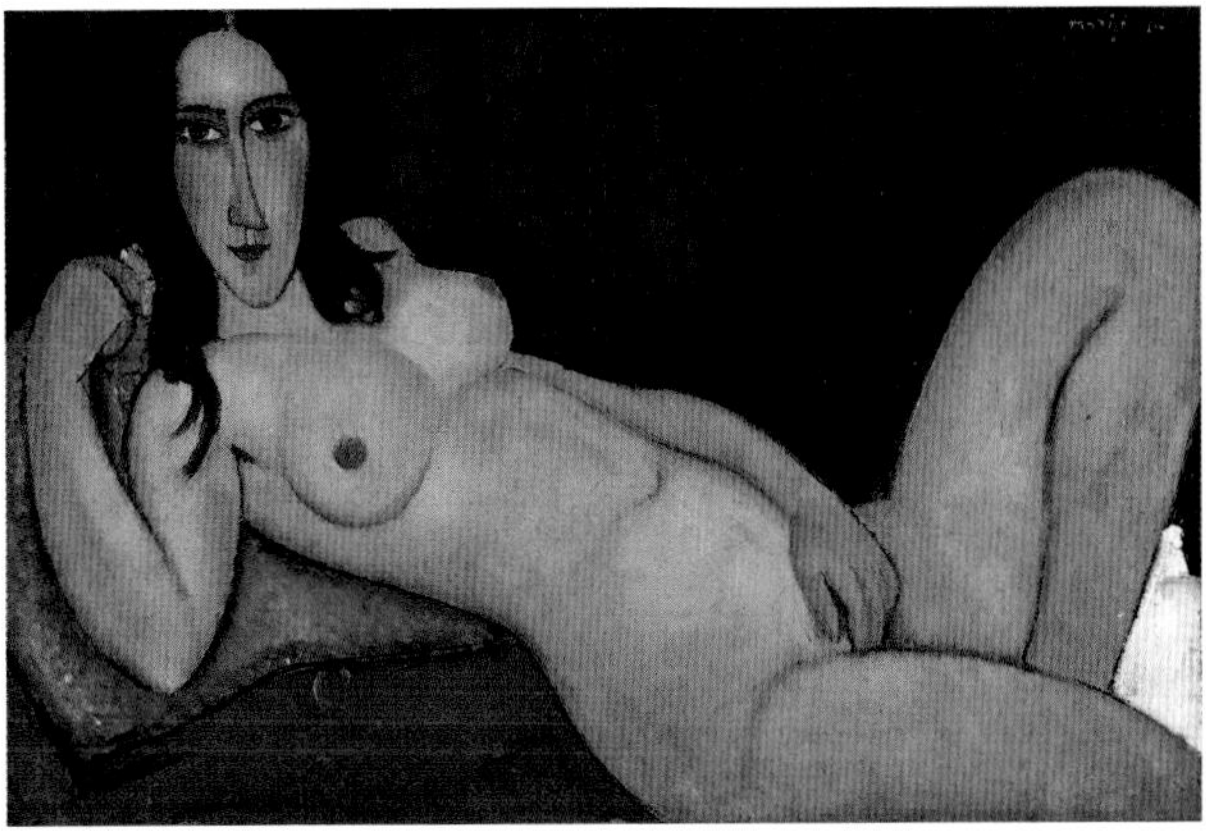

図 2-14　モディリアーニ《坐る裸婦》
1917年　アントウェルペン王立美術館

図 2-15　モディリアーニ《髪をほどいた横たわる裸婦》
1917年　大阪中之島美術館

こともできるが、アルジェリアやモロッコなど当時のフランスの植民地から来た女性である可能性が指摘されている。アフリカ彫刻に心酔していたモディリアーニは、このモデルの情熱的なまなざしや豊満な肉体のうちに原初的な生命力を感じたのではなかろうか。

第3章

現代美術の奥行き

戦争と美術

二〇二三年、私は大学の授業のテーマを「戦争と美術」にした。ロシアのウクライナ侵攻やイスラエルのガザ侵攻など、現在はつねに戦争がニュースとなっているため、このテーマを選んだのである。

序章でも見たように、戦争と美術とは深い関係がある。美術品の破壊といった負の面だけでなく、戦争はしばしば美術活動を誘発し、好戦にせよ反戦にせよ強力なメッセージと役割を美術に与えてきた。ウクライナ戦争の長引く今日、反戦や厭戦《えんせん》はますます切実なテーマとなっている。岡田温司《あつし》『反戦と西洋美術』（筑摩書房、二〇二三年）は時宜を得た好著であった。

戦争は人類の歴史とともにあったが、反戦という概念が登場したのはそれほど古いことではない。十七世紀に起こった初の国際戦争である三十年戦争のときに、ルーベンスは《戦争の惨禍》（図３-１、次ページ）を描いて平和の重要さを訴えた。同じころ、版画集「戦争の惨禍」を制作したフランスのジャック・カロ、そしてナポレオン戦争のときに同名の版画集を

図 3-1　ルーベンス《戦争の惨禍》
1637-38年　フィレンツェ、ピッティ美術館

制作したスペインのゴヤにいたって反戦という大きなテーマが美術史上に成立したといってよい。

十九世紀ロシアの画家ヴァシリー・ヴェレシチャーギンは露土戦争などに参加して戦争の悲惨さを訴え、名作《戦争礼賛》を描いた（図3‐2）。彼は日露戦争に参加して没し、その死は勝利に沸く日本でも惜しまれた。壊滅的な世界戦争の起こった二十世紀では、反戦のテーマは美術の中心になった。二十世紀の二度の世界大戦は前衛芸術の発展とも関わりをもち、ベトナム戦争以降は戦場写真が広く普及し、反戦運動に大きく作用した。

第二次大戦中はホロコーストの犠牲者による表現のように、直接的で痛々しい被害者に

図 3-2　ヴェレシチャーギン《戦争礼賛》
1871年　モスクワ、トレチャコフ美術館

よる作品も生まれた。しかし、美術作品は文字でメッセージを伝えるのではないため、ある種のあいまいさがつきまとう。トラウマ的な描写が、戦争の悲惨さと残酷さをアピールするように見えて、むしろ敵愾心《てきがいしん》を煽《あお》るという逆の効果を引き起こすこともあるのだ。それは受け手の立場や境遇によって対応が異なってくる。岡田氏はこうした反戦美術のあいまいさや多義性にも注目し、的確に分析している。

　本書では触れられていないが、戦争推進側による戦意高揚のための作品にも、受け手によっては反戦を感じさせるものがある。いまだ全貌があきらかになっていないナチスの戦争画にも、日本の藤田嗣治らによる戦争記録画にも、戦争の悲惨さを印象づけるものが多い。美術というものは注文者の意図や社会の要請を超えて、戦争の真実を表現してしまうことがあるのだ。

そして優れた作品ほど、個々の戦争を扱っていても、時代がたつにつれて普遍的な反戦のアピールに変化していくようだ。スペイン内戦の惨劇を扱ったピカソの《ゲルニカ》は、その後ベトナム反戦のポスターにも用いられるなど力強い反戦の象徴に昇華した。

美術と戦争との関係は一筋縄ではいかないが、今後ますます重要なテーマとなってくるだろう。

アンディ・ウォーホルの評価

　久々のウォーホル展が開催された。二〇二二年秋から翌年にかけての京都市京セラ美術館の「アンディ・ウォーホル・キョウト」展である（図３‐３、次ページ）。ウォーホル展といえば、一九九六年、私が関わった「アンディ・ウォーホル１９５６―86：時代の鏡」展が東京都現代美術館、兵庫県立近代美術館、福岡市美術館を巡回し、その次は二〇一四年に森美術館で開催され、学芸員の近藤健一氏が担当した「アンディ・ウォーホル展：永遠の15分」があった。京都でのウォーホル展はコロナ禍で延期されたが、ほぼ十年ごとに大きなウォーホル展が開催されているのである。

　いずれも、ピッツバーグのアンディ・ウォーホル美術館の所蔵作品によるもので、同館の企画であった。この美術館は、ウォーホルの故郷にある古いビルを改築して建てられ、ウォーホルが手元に残していた膨大な自作や関係資料を整理して収蔵し、アンディ・ウォーホル財団を中心にウォーホル研究を推進している。これほど大規模な個人美術館はアメリカには存在せず、世界でもパリの国立ピカソ美術館があるくらいである。かつて私はウォーホル展

図 3-3　アンディ・ウォーホル・キョウト展会場

の出品交渉のために開館前後のこの美術館を二度訪れ、その展示や活動に感銘を受けた。

　ウォーホルは、生前からアメリカでもっとも有名なアーティストであったにはちがいないが、これほど重要だと目されたのは実はそれほど古いことではない。ピッツバーグで生まれたウォーホルは当初ニューヨークでグラフィック・デザイナーとして広告を制作していたが、一九六二年にロサンゼルスのフェラス画廊でキャンベル・スープ缶の連作を発表してから純粋美術の世界に進出し、同じころ注目を集めたリクテンスタインやオルデンバーグらとともに商品や広告を主題にしたポップ・アートの旗手となった。

　彼は写真をシルクスクリーンでカンヴァスに転写する技法を駆使し、ファクトリーと呼ばれた大規模なスタジオで多くの助手を使って大量に制作した。コカ・コーラやブリロ洗剤と

図3-4　アンディ・ウォーホル《3つのマリリン》
1962年　アンディ・ウォーホル美術館
© 2024 The Andy Warhol Foundation for the Visual Arts, Inc. / Licensed by ARS, New York & JASPAR, Tokyo G3529

いった商品のほか、マリリン・モンロー（《3つのマリリン》図3‐4）やエルヴィス・プレスリーといった有名人を作品にした。自動車事故や電気椅子を扱った「死と惨禍」連作は、一九六四年に「アメリカの死」としてパリで展示されてヨーロッパにおける名声を確立した（図3‐5、次ページ）。また、写真雑誌に投稿された素人写真に基づいた「花」連作は大成功し、アメリカ現代美術界のスターとなった。

　しかし、ウォーホルは早くも一九六五年に画家を辞めると宣言し、映画製作や雑誌の発行など幅広いメディアの仕事に熱中する。七〇年代には、誰からでも一定の価格で肖像画制作を請け負う事業で商業的に大成功をおさめる。八〇年代には新人画家バスキアと共作するなど、つねに美術界の注目を集めたものの、社交界やマスメディアでの派手な露出によって軽薄な印象を与え、研究に値する真剣な美術家だという認識は希薄であった。

ウォーホルが亡くなった二年後の一九八九年、ニューヨーク近代美術館（ＭｏＭＡ）でウォーホルの大回顧展が開催されたが、そこで展示された生涯にわたる作品と、多くの美術史家や批評家によるカタログ論文によって、現代美術に多大な影響を与えたウォーホルの役割が評価され始め、その五年後のウォーホル美術館の開館によって決定的となった。

図 3-5 「アメリカの死」展会場
パリ、ソナベント画廊　1964年 1-2月

ウォーホルの創始したポップ・アートは表層的であるがゆえに二十世紀の大量消費社会のシミュラークルとしてポストモダンを予告する意義をもっていたことや、「死と惨禍」連作は現代の歴史画であることなど、それまでのマスメディアの寵児であったこの美術家の深刻

な一面がクローズアップされてきたのである。

私もその潮流に乗り、一九九六年の展覧会のときにウォーホルの「死と惨禍」連作を美術史のうちに位置づける長大な論文をカタログに書き、その後この論を発展させて二〇一〇年に『ウォーホルの芸術─時代を映した鏡』（光文社新書）を上梓した。死への執着と恐怖がウォーホル芸術全体を覆っており、また終生熱心なカトリック信者であったウォーホルは、キリスト教のイコンのように、無名でありながら多くの人に親しまれる芸術を目指していたことなどを論じた。スターや商品をテーマにしてマスメディアを操った軽妙洒脱なウォーホルのイメージも魅力的だが、それはこの芸術家の表層にすぎないのだ。

ウォーホル美術館は、開館以来、主要な事業として世界中でウォーホル展を開催しているが、同時にピッツバーグの観光名所にもなって常設展示にも代表作を展示する必要があるせいか、次第によいものが出品されなくなってきている。日本での展覧会だけでなく、二〇一八年にニューヨークのホイットニー美術館で開催された大規模なウォーホル展も、かつてのＭｏＭＡの展覧会と比べると格段に見劣りするものであった。

とくにウォーホルの中でもっとも重要な「死と惨禍」連作は、九六年の展覧会のときは私がこだわって交渉して多く出してもらったが、森美術館のときや今回は数点にすぎなかった。

自動車事故や電気椅子の作品は、一般にはそれほど人気がなくとも、ウォーホル美術館にとっては常設展示に欠かせない重要作品なのであろう。ウォーホルの生前、これらの不気味な作品はあまり売れず、それゆえに「花」などとちがって多くの作品が作られることがなかったため、かえって貴重なものとなっており、この連作はオークションに出るときわめて高額で落札されている。

私は三十年ほど前、ある画廊でウォーホルの《電気椅子》の大きな版画を見かけてほしくなってしばらく悩んだが、当時の私の薄給では百万弱の価格は厳しかったし、電気椅子なんて不吉だと家人にも反対されて断念した。だが、その後この版画は入手困難となり、価格もそのときの十倍以上になったため、後悔している。

京都での展覧会は、初期から晩年までのウォーホルの多彩な活動を紹介し、彼の活躍した時代を再現するような華やかな展示となっていた。また、デビュー前の一九五六年と名声の絶頂にあった一九七四年に来日したウォーホルと日本、とくに京都との関係をはじめて本格的に浮かび上がらせていて興味深かった。この二十世紀最大の巨匠の芸術の豊かさを堪能する恰好の機会であった。

ゲルハルト・リヒターの新作

二〇二二年から翌年にかけて、東京国立近代美術館と豊田市美術館で日本では初の大規模な「ゲルハルト・リヒター展」が開かれた。前著『名画の生まれるとき』にも、リヒターの生涯を扱った映画「ある画家の数奇な運命」について書いたが、二〇二三年で九十一歳になったこの画家は、ドイツの現代美術を代表する巨匠であるだけでなく、現存する世界でもっとも重要な画家だと目されている。その作品の多くはすでに世界の大美術館を飾り、オークションでは出品されるたびに数十億円の価格で落札されて話題となる。

リヒターは旧東ドイツのドレスデンで育ち、西ドイツに亡命して、そこで写真の画像を油彩でぼかして描くフォト・ペインティングによって知られるようになった。その後、こうした作品と並行して色鮮やかな絵具の層を重ねた抽象絵画も制作し、それらも高い評価を得ている。今回の大規模な展覧会はこうした抽象画が主体となっていた。リヒター自身が企画や展示の構想に参加しており、彼の意図が直接表れた展示内容となっているようだ。

もっとも注目されるのは近作《ビルケナウ》の四点の大画面である（図３‐６、次ページ）。

図 3-6　「ゲルハルト・リヒター展」会場《ビルケナウ》連作
展示風景　東京国立近代美術館

ビルケナウとはアウシュヴィッツ第二強制収容所のあった地で、大規模なユダヤ人虐殺が行われた。この収容所で捕虜によって隠し撮りされた写真があり、そこには多くの遺体が積み重ねられて焼かれる様子などが写っていた。リヒターはこの四枚の写真をカンヴァスに拡大して描いたが、その上を白黒を中心に赤や緑の筆触によって厚く塗り重ねてはヘラで削って、完全な抽象画にしている。

画面を見るだけでは、これがホロコーストを描いたものだということはわからない。しかし会場では、基になった四枚の写真が隣に展示されており、

図 3-7　「ゲルハルト・リヒター展」会場《4900の色彩》
展示風景　東京国立近代美術館

さらに向かいの壁面には四点の大作を同じ大きさで複製したものが展示され、その間の壁には巨大なガラスが設置されて観客と作品を映し出していた。それによってこの空間自体が、二十世紀最大の悲劇のひとつを思い出させ、問いかける重い雰囲気を生み出していた。

　その隣の部屋は一転して、カラーチャートを並べて正方形の大作にした《４９００の色彩》が展示され（図３-７）、そこにも鏡が設置されて空間と観客を映し出していた。リヒターは二〇〇七年にケルンの大聖堂のために、これと似た鮮やかなステンドグラスを制作したが、これらの色彩の羅列はもっとも純粋な抽象絵画であるとともに、光を感じさせ、華やかな空間を作っていた。

リヒターはドイツの暗い現代史や悲劇的事件を取り上げる一方で、家族のような身近なモチーフや私的な思い出もテーマにし、今なお新たな試みを続けている。その作品群は、現代における絵画の可能性について考えさせずにはいられない。

李禹煥ともの派

二〇二二年から翌年にかけて、東京の国立新美術館と兵庫県立美術館で「李禹煥《リ・ウファン》展」が開催された。李禹煥は、戦後日本の現代美術を代表する「もの派」のリーダーであり、その理論的支柱であった。もの派は一九七〇年代に東京で擡頭《たいとう》し、木、石、鉄、ガラスといった自然や人工の素材を組み合わせて提示する美術家たちで、同時代のアメリカのコンセプチュアル・アートやイタリアのアルテ・ポーヴェラとも共通性があって国際的にも注目された。

今回の回顧展は、ガラス板の上に大きな自然石を置く《関係項》の連作や（図3‐8、次ページ）、徐々に薄れていく線や点を並べた「線より」「点より」の連作など、李の代表作が展示されている。いずれの会場でも李自身が展示プランを構想し、展示に立ち会っている。どちらの美術館も広々とした空間を特色とするが、その印象はかなり異なっていた。

作品ごとに展示空間を区切り、暗くするなど、作品の配置や見え方が工夫されている。「作品は、他者との出会いの関係であり、その場所をいう」と李は書いているが、物質と物質、それを取り巻く空間や鑑賞者との関係について考えさせるものである。禅寺の枯山水《かれさんすい》の

図 3-8　李禹煥《関係項》
1968年（2019年再制作）　森美術館

庭園や余白の多い水墨画を思わせるような、精神性と余韻を感じさせた。そして、彫刻であれ絵画であれ、個々の作品の完成度の高さが印象に残った。

一方、大阪の大阪中之島美術館と国立国際美術館では、「ＧＵＴＡＩ分化と統合—すべて未知の世界へ」展が二〇二二年秋から二〇二三年初頭に共同開催された。一九五〇年代後半に芦屋で生まれ、中之島を中心に活躍した「具体」は、もの派とともに戦後の日本美術を代表する前衛美術運動である。吉原治良《じろう》の強いリーダーシップのもとに何度も展覧会を開催し、海外でも早くから評価され、現在ますますその評価は高まっている。

吉原には李のような理論はなく、ただ「人

のまねをするな、今までにないものを作れ」とのみ命じたため、具体の作品の多くは野放図で大胆な発想にあふれ、パフォーマンスの要素が強いものであった。

彼らは作品の完成度や耐久性にあまりこだわらなかったため、当時の熱気や勢いを感じることはできても、作品の質にはかなりばらつきがある。その中ではやはり、吉原治良、白髪《しらが》一雄、元永定正、それに田中敦子（《電気服》図３-９）などが傑出しているのがわかる。理論よりも目新しさや自由な精神を求めた具体も、五十年以上たった今ではやや古びて見えるものも多く、作品の質が改めて問われているようだ。

それに対し、李禹煥の禁欲的な作品群は、作家自ら新たに展示したこともあるが、現在の目で見てもいずれも新鮮であった。

図 3-9　田中敦子《電気服》1956 年（1986年再制作）高松市美術館

ホックニーの新作と画文集

二〇二三年、東京都現代美術館で大規模な「デイヴィッド・ホックニー展」が開催された（図3-10）。ホックニーは一九七〇年代にカリフォルニアの明るい室内やプールをアクリル絵具で描いた絵で人気を集め、ポップ・アートの一派とされることもあったが、いわゆる現代美術の動向とは一線を画していた。八〇年代には連続するスナップ写真を貼り付けたフォト・コラージュによる作品を発表し、オペラの舞台装置や衣装なども手がけ、つねに話題となってきた。わが国でも何度か展覧会が開かれており、ファンも多い。

彼は現存する美術家でもっとも人気が高いといってよく、二〇一七年にパリのポンピドゥー・センターで開催された個展には六十万人以上が訪れたという。また、二〇一八年、プールと二人の人物を描いた彼の作品が、オークションで現存作家としては最高額となる約百二億円で落札された。

この展覧会では、王立美術学校在学時の作品から、カリフォルニアのプールや芝生、友人たちを描いた初期の有名な作品、タブレット型端末ｉＰａｄで描いた最近の作品群までが並

図 3-10　「ホックニー展」会場　東京都現代美術館

び、ホックニーの歩みをたどることができる。

　初期の肖像画では、《クラーク夫妻とパーシー》（図3-11、次ページ）や《両親》のようなダブル・ポートレイトが多いが、それらはルネサンスの「受胎告知」やロンドンにある名画《アルノルフィーニ夫妻》のように、二人の人物の関係性や空間における存在感が追求されている。実物を前にすると、繊細な描写とともに色彩の美しさに打たれる。

　同時に雄弁な文筆家でもあり、一九七六年の『ホックニーが語るホックニー』（パルコ出版）以来、多くの著書を刊行してきた。近年では、『秘密の知識』『絵画

図 3-11　ホックニー《クラーク夫妻とパーシー》
1970-71年　ロンドン、テート・モダン
© David Hockney　Photo: Tate

の歴史』（いずれも邦訳は青幻舎刊）など、独自の観点からオールドマスターの名画を分析する美術史的な著作を出版している。そこでは、ファン・エイクやレオナルドやカラヴァッジョが、制作にあたってカメラ・オブスクラや凸面鏡といった光学機器を用いたとする大胆な推論が展開されており、評者は必ずしも共感できなかったが、現代の美術家にしては珍しいほど古典をしっかり観察し、分析している。

ホックニーはコロナ禍のロックダウン下でフランスのノルマンディー地方の田園に移住し、毎日散歩しては身近な自然を描いた。友人の批評家マーテイン・ゲイフォードとメールと作品のやりとりをし、それをゲイフォードがまとめたのが画文集『春はまた巡る』（青幻舎）である。そこには、ホックニーが描いた色鮮やかな作品が多数収録されている。彼は毎日早朝に起きて散歩し、身近な景色をｉＰａｄで描いてはその画像をゲイフォードに送った。八十歳を過ぎてからこうした新しい技術を取り入れるのも驚きだが、ホックニーは移ろいゆく光をとらえる屋外の写生には、色を瞬時に調整できるデジタル画のほうが適していると述べている。

　描いたばかりの自作を語る言葉も興味深いが、古典的な絵画や画家についての言及も頻出する。ホックニーが敬愛してやまないピカソをはじめ、ゴッホ、モネ、マティス、レオナルド、北斎などが実制作者の立場から語られ、ときには意外な観点から新たな魅力を与えられる。亡くなるまで毎日描いては作品に日付を入れたピカソ、アルルの自室の壁一面にヒマワリの絵を飾ったゴッホ、水流や波を夢中で観察したレオナルドや北斎など、巨匠たちへの深い共感が、身近な自然への愛着とともに、つねにこの画家を鼓舞していることがよくわかる。その言葉は率直で平明だが、いずれも画家としての長い経験に裏打ちされた確信に満ちており、含蓄《がんちく》に富む。

　また、樹木、水たまり、雨、日の出、月などの自然や気象に対して、常人が気づかないよ

図 3-12　ホックニー《ノルマンディーの12カ月》展示風景
東京都現代美術館

うな繊細な美しさや描く上での工夫が語られ、ｉＰａｄで描かれた鮮やかな作品によって示される。

　二〇二一年十月、こうして制作された約百点のデジタル絵画は、パリのオランジュリー美術館で《ノルマンディーの12カ月》と題された横九十一メートルの絵巻物のような作品として展示された。中世からノルマンディーに伝わる「バイユーのタペストリー」や、東洋の画巻や絵巻物に触発されたもので、モネがジヴェルニーの庭の睡蓮を描いた大作に挑んだものでもあった。東京都現代美術館の展覧会でもこの長大な作品が展示された（図3-12）。

　ｉＰａｄによる作品は、大きさや色彩を自由に調整できるため便利だとホックニーは述べているが、手描きの絵画のような力があるのか疑問に思っていた。しかし、実際にそれらの作品を見ると、油彩画とほぼ変わらない鮮烈な印象を受けた。一連の絵は、子どもの絵のように素朴で味わい深く、それでいていずれもホックニー独自の様式となっている。美術史上の豊富な知識や現代美術のめまぐるしい変転や情報に惑わされず、日課のように淡々と制作するホックニーにとって、目の前の自然や光こそがつねに創作への尽きせぬ源泉となっているのだ。

「世界は、ちゃんと見ればとても、とても美しいのに、ほとんどの人はあまり真剣に見ようとしないのです」とホックニーは語るが、その作品は、私たちが日常目にするありふれた身近な景色も、よく見れば美にあふれているということに改めて気づかせてくれる。これは十九世紀に故郷サフォーク州の風景を描き続け、イギリスでもっとも人気のある画家となったコンスタブルにも通じるが、それゆえに今やホックニーはイギリスの国民的大画家となったといえよう。

第4章

聖と俗を結ぶ

古代エジプトの葬祭

二〇二〇年から二一年にかけて、名古屋、静岡、東京、仙台、山口、神戸、福岡、札幌に「ライデン国立古代博物館所蔵　古代エジプト展」が巡回した（図4-1、次ページ）。古代エジプトは世界でもっとも古く豊かな文明を築いたが、長く忘れ去られていた。十八世紀末のナポレオンのエジプト遠征のときに発見され、以後ヨーロッパでさかんに研究されてきた。日本でもこれと同時期、本展を含めて三種類のエジプト展が全国の美術館を巡回して人気を集めている。

この展覧会は、長くエジプト学を牽引して世界随一のコレクションを誇り、今もエジプトのサッカラ遺跡の発掘に取り組んでいるオランダのライデン国立古代博物館の学術的な成果を紹介するものであり、多くの発掘品とともに最新の知見が得られる充実した内容であった。

古代エジプトの美術のほぼすべては葬祭、つまり死に関連しているといってよい。墓所から発掘されたものが大半を占めるためでもあるが、膨大な出土品は古代エジプト人がいかに死後や来世に強い関心があったかを物語っている。それらは通常の美術とちがって、後世の

図 4-1　「古代エジプト展」展示風景　兵庫県立美術館

人々に見せるものではなく、死者が来世で幸福な生活を送ることができるように神々に祈願するためのものであった。何百年も乾燥したエジプトの砂に埋もれていたためにほとんど腐敗せず、鮮やかな色彩がそのまま残っている。

遺体は腐敗を防ぐためにミイラにされ、それを覆うミイラ覆いや内棺や外棺に神々の姿が鮮やかに描かれ、願文が記された。今回の展覧会では、いくつもの壮麗な棺が立てられて展示され、時代による棺の様式の変遷も示されている。

副葬品には、パピルスに記した一種の経典である『死者の書』や、様々な護符、さらに来世で故人に仕える使用人を表したシャブティ像があった。ライデン国立古代博物館はこのシャブティ研究の中心地としても知られている。

副葬品の『死者の書』には、墓主やその家族が供物を捧げる情景も描かれた（図4-2）。神官パディコンスの副葬

図 4-2　パディコンスの『死者の書』

品であった『死者の書』では、パディコンスがイシス神とオシリス神などに食物を捧げている。それは墓主パディコンスの死後の復活と永遠の命を保証するものであった。台の上には鳥や果物が積み上げられており、世界でもっとも古い静物画として興味深い。いつの世でも、死後の救済は人々の関心の中心であり、宗教も美術もその機能を担ってきたのである。

また、厚く包帯に包まれたミイラを、最新の高性能のＣＴスキャンで撮影した画像も紹介され、それによって死因があきらかになったものや、体内に小像が入っているものがあることがわかった。エジプト学は遺跡の発掘や科学の進展とともに日進月歩しており、悠久の文明への興味は尽きない。

柳橋水車図の世界

二〇二一年秋、中之島香雪美術館で「柳橋水《りゅうきょうすい》車図《しゃず》の世界」展が開催された（図4-3）。柳橋水車図とは、銀色の月の下、柳の茂みの中を大きな金色の橋が斜めに伸び、その傍らに水車や蛇籠《じゃかご》の見える一双の屏風。桃山時代に生まれ、三十点ほどが現存するという。その典型とされる名品が香雪美術館本で、桃山時代の巨匠、長谷川等伯の印があることから、柳橋水車図は長谷川派周辺で数多く作られたと推察される。

この図像がどこから来たのかははっきりわかっていないが、平等院の前に架かる宇治橋を描いた名所絵、さらに宇治を舞台とした源氏物語の宇治

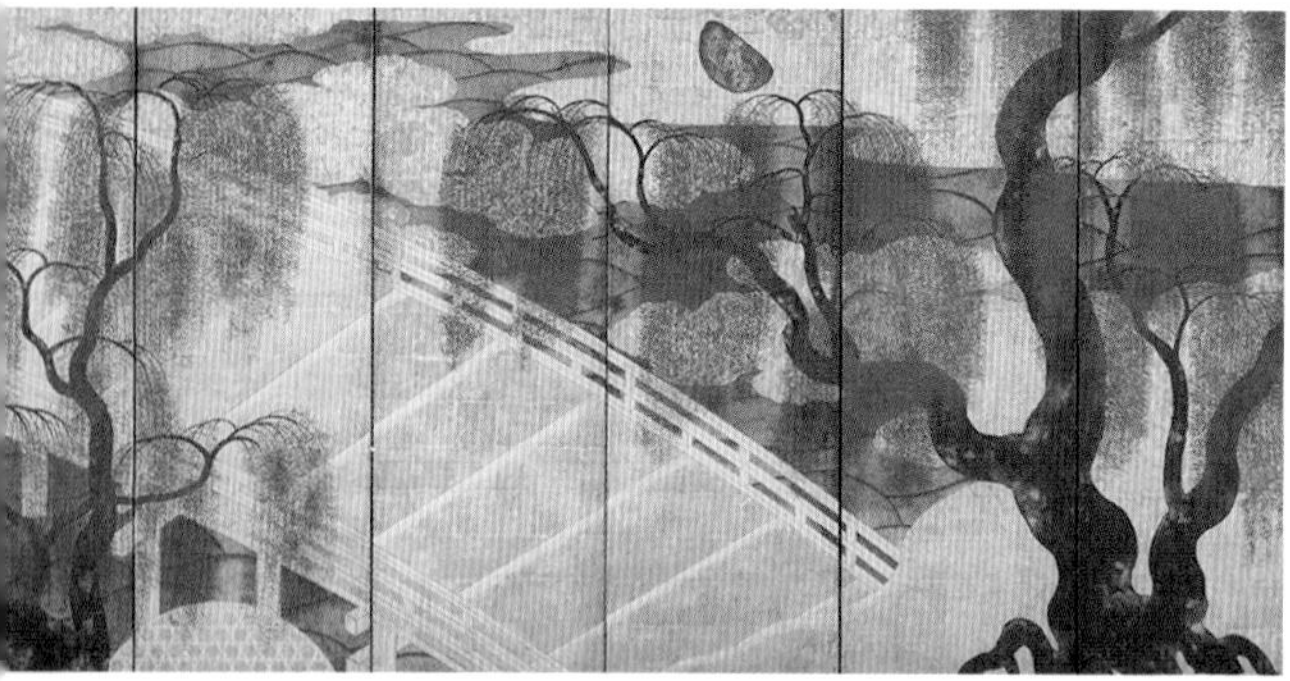

十帖や橋姫伝説などが源泉となっているとされている。今回の展覧会では、この香雪本を中心に、柳橋水車図の祖型と思われる、宇治橋の描かれた中世の料紙装飾や絵巻、源氏物語図や関連する工芸品を展示しており、柳橋水車図の成立と展開を多面的に浮かび上がらせていた。

　中之島香雪美術館館長（当時）の勝盛典子氏によれば、香雪本を修理したところ、胡粉《ごふん》を盛り上げて金箔と銀箔を貼り、波は銀の截金《きりかね》で表して銀《ぎん》泥《でい》で仕上げるという、きわめて繊細で工芸的な技法が用いられていることが判明したという。

　画面の前に立つと、六曲一双の大画面を貫いて大きな橋が伸びており、きわめて大胆かつ華麗な画面に引き込まれるようだ。具体的な名所や文学性よりも、大きな金色の橋が浄土に向かうような

図 4-3　長谷川等伯《柳橋水車図屏風》左隻と右隻
重要美術品　桃山－江戸時代、16-17世紀

宗教性を感じさせる。

古来、日本の文学や美術には橋が頻出する。随筆『日本の橋』で保田與重郎《やすだよじゅうろう》が指摘したように、日本の橋は道の延長であると同時に、その終わり、つまり「端」でもあって、人生の道の向こうにははるかに伸びる彼岸や異界につながるものであった。

西洋では天地をつなぐのは天に伸びる梯子や階段であり、また空に架かる虹が天の橋となって美術にも数多く登場したが、橋には日本ほど象徴的な意味は与えられていないようだ。

これに対し、日本の橋はつねに象徴的意味をもっていた。香雪美術館の誇る鎌倉時代の仏画「二河白道図《にがびやくどうず》」では、娑婆《しやば》世界と西方浄土を一筋の白く細い橋がつないでおり、その両側には火と水が迫っている。この細い橋を渡らなければ極楽浄土には行けないのだ。また、橋を架けるのは相当な難事業であったため、架橋にまつわる神仏や高僧による霊験譚が数多く伝えられてきた。そして、神社仏閣には必ずといってよいほど聖界と俗界をつなぐ橋が架けられている。

中世と近世の間の時代に流行した「柳橋水車図」は、戦乱の世にあって、きらびやかな意匠のうちに彼岸への志向を表したものではなかったろうか。

「天之美禄」酒の美術

古来、酒と美術とは深い関係にあった。酒は世界中で様々な儀式や宗教儀礼に用いられてきたが、感覚を麻痺させる酒は、人間どうしだけでなく、日常と非日常、人間と神とを媒介する手段であった。酒のもたらす酩酊《めいてい》状態は、人間の通常とは別の側面を表出させるため、文学や美術の主題になってきたのである。

二〇二一年秋、奈良の大和文華館《やまとぶんかかん》で「天之美禄《てんのびろく》　酒の美術」展が開催された。酒の場で用いられた酒器や宴を描く絵画など、酒にまつわる多様な美術作品によって、古代から近世にかけての東アジアにおける酒の文化を紹介したものである。酒と美術をめぐる充実したシンポジウムも開催された。

中国古代の青銅器の多くは祭祀に用いる酒器であり、酒が支配構造の中枢にあったことを物語っている。酒は先祖と神とをつなぐ手段であり、葬祭においても重要な役割を果たした。北宋時代の《青磁多嘴壺《たしこ》》（図４‐４、次ページ）は墓に供えられたものであり、墓室に酒の香りが漂うようにたくさんの口が作られている。

図 4-4 《青磁多嘴壺》
北宋時代　大和文華館

飲酒は芸術にも直結した。唐の詩人李《り》白《はく》は、「李白一斗詩百篇」、つまり酒を一斗（約六リットル）飲む間に詩を百篇も作ったと杜《と》甫《ほ》の「飲中八仙歌」に歌われ、「酒仙」とも称された。「酔李白」という画題もあり、李白が従者に支えられながら歩く姿が描かれた。

東洋には、このように芸術家が酒の力によってその才能を発揮する例が多い。唐の呉《ご》道《どう》玄《げん》や王墨《おうもく》のように、画家たちも酒の酔いに乗って制作するという逸話が定型のように数多く伝えられている。酒は理性的な構想や人智を超えた霊感をもたらすと思われ、天才信仰を補強するものであったのである。

一方、西洋では、酒を飲んで理性を失うことは非難されるべきことであり、酔態は失笑や侮蔑の対象にはなっても、酒によって才能を発揮する天才の話というものはなかった。

日本では仏教で酒が戒《いまし》められたが、風俗画や説話画には飲酒の情景がしばしば表現され

図 4-5　小田海僊《酔客図巻》部分　1824年　京都、泉屋博古館

た。酒は江戸期の文人たちにとっても重要であった。詩書画の世界に生きるのを理想とした彼らは、酒を媒介とした交友を楽しんだ。浦上玉《ぎょく》堂《どう》はつねに酒を飲みながら描いたという。

萩藩の御用絵師であった小田海《かい》僊《せん》の《酔客図巻》（図4-5）は、文人たちの宴会を時系列に描いた珍しい画巻。茶をたしなむ高雅な文人の交わりが、酒が入り、それが進むにつれてみな衣服がはだけるなど乱れていき、最後は寝転がり、従者に支えられて出ていく。そこでは酒に酔うことへの戒めよりも、酒のもたらす陽気な交わりが称賛されているようだ。

日本人は酔っ払いに寛容だというが、それは中国にさかのぼるこうした伝統のためだといえよう。

桜の絵

春に一斉に咲く桜は、日本人の原風景である。桜の季節は新年度の始まる時期に当たるため、満開の桜は誰にとっても人生の転機の思い出と重なっており、様々なことを思い出させずにはいない。

二〇二二年春、東京の国立新美術館でイギリスの現代美術家ダミアン・ハーストの「桜」展が開催された（図4 - 6）。

今回が日本での初の大個展となり、桜を描いた二十四点の大作が並んでいる。ハーストといえば、サメや牛をホルマリン漬けにした衝撃的な作品で知られるが、今回は意外にも穏やかで平明な桜の絵である。

本人によれば、幼少のころ母が油彩で桜を描いているのを見た記憶が制作の動機になっており、具象的でありながら抽象的であり、両者を行き来するものを描こうとしたということである。ピンクのドットをちりばめた大画面は、近づいて見ると絵具が盛り上がっており、たしかに抽象画のように見える。自然光が降り注ぐ天井の高い広大な空間を埋め尽くした桜

図 4-6　「ダミアン・ハースト 桜」展会場　国立新美術館

の絵を見て回るのは、まさに花見のような体験であった。

桜は、日本の美術工芸の伝統的なモチーフである。日本では元来、中国の影響によって梅花の愛玩が普及しており、万葉集では桜よりも梅を詠んだ歌のほうがはるかに多い。平安時代に国風文化の発展とともに桜を主題とすることが増え、花といえば桜を指すようになったのである。

幕末に江戸で生み出されたソメイヨシノは明治以降、徐々に普及し、第二次大戦後は日本中の街路、河川敷、公園、学校などに植えられた。ソメイヨシノは若木から花を咲かせるため人気を集めたのだが、花が散るまでの時間が短いため、一斉に散る花びらも春の風景を彩ることになった。

桜は四季花鳥図や吉野山図のような名所絵によ

く描かれたが、単独で描かれたものは意外にもそれほど多くはない。

長谷川等伯の息子久蔵《きゆうぞう》が京都の智積院《ちしやくいん》の障壁画に描いた国宝《桜図》（図4-7）は、父等伯による有名な《楓図》と対をなす大作であり、日本の桜の絵を代表する名作である。大きな桜の花は胡粉で盛り上げられ、ハーストの桜以上に立体的に表現されている。薄暗い堂内で蝋燭を灯して見ると、盛り上げられた花の部分が光り、夜桜のように見えるという。

こうした作品によって将来を嘱望された長谷川久蔵は、この絵の完成後ほどなく、二十代で桜のように散ってしまった。

わずかな間で一気に散ることから、桜は人のはかない命や死をも象徴するようになり、人によっては

図 4-7　長谷川久蔵《桜図》
国宝　桃山時代　京都、智積院

悲しみを誘う。しかし、可憐ではかない桜は、美術の中では明るく華麗に表現されることが多い。

死をテーマにすることの多かったダミアン・ハーストの桜の絵も、心を浮き立たせるような華やかさに満ちていた。

フィリピンのキリスト教美術

先日、はじめてフィリピンに行った。フィリピンはアジア唯一のキリスト教国で、スペイン支配下にキリスト教美術が栄えた。私は昨年『バロック美術』（中公新書）、三年前に『聖母の美術全史』（ちくま新書）を上梓したのだが、いずれにもフィリピンの美術についてふれることができなかったのが心残りであったのだ。

フィリピンは十六世紀末からスペインの植民地となり、各地に教会が建てられた。ただし、カトリック改革の時期の様式を反映した後期ルネサンス様式の教会が多く、中南米とちがって十七世紀のバロック様式のものは意外に少ない。中南米では銀の産出によって潤い、その富によって各地に華麗なバロック聖堂が建てられたのだが、フィリピンではそのようなことはなかったからであろう。

今回はマニラしか行くことができなかったが、マニラには広大な国立美術館もあり、フィリピンの美術についてかなり理解することができた。第二次大戦中、日本の占領下にあったフィリピンでは終戦時に米軍との激しい戦闘があり、それによってマニラ市街は壊滅的な破

図4-8　マニラ、サン・アウグスティン聖堂

壊を被った。多くの文化財が砲撃で破壊されてしまった。マニラの信仰の中心地であったマニラ大聖堂などほとんどの聖堂は戦後に再建されたものである。

　奇蹟的に残ったサン・アウグスティン聖堂（図4‐8）は一五九九年から一六〇六年に建てられたフィリピン最古の石造教会で、世界遺産に登録されている。付設するアウグスチノ会修道院は現在は博物館になっており、フィリピン各地の教会から集められたキリスト教美術の宝庫となっている（図4‐9、135ページ）。回廊にはキリストや聖母や聖女の彩色彫刻も集められていたが、これはスペインと同様、聖週間（セマナ・サンタ）に山車《だし》として町をパレードしたものである。こうした彫刻はスペインの影響によるものである。スペインのバリャドリードには、彩色木彫の巨匠グレゴリオ・フェルナンデスらの作品を集めた国立彫刻美術館がある。

フィリピンでは「ブラック・ナザレ」という黒いキリスト像がよく知られており（図4-10）、通常はキアポ聖堂に安置されている。ヨーロッパには、フランスの中央高地を中心に「黒い聖母」が数多くあり、それはキリスト教以前のケルトの地母神と関係があると思われているが、黒いキリスト像は聞いたことがない。この像は一六〇六年にメキシコからもたらされたが、船で起こった火事で焦げて黒くなったとされている。数々の奇蹟を起こしたとされ、フィリピンでは格別の崇敬を集めてきた。毎年一月九日、この像が人々に担がれて市内を練り歩き、群衆がそれに触れようと殺到して多くの負傷者が出る。今年は四年ぶりにこのブラック・ナザレ祭が本来の形で開催され、百万人もの群衆が参加したという。

マニラではどの教会でも平日も多くの信者が熱心に祈っており、人々の信心深さに感銘を受けた。教会内を飾る像も、美術品というより信仰の対象として今も生き続けているのだ。

図 4-9　マニラ、サン・アウグスティン聖堂付属博物館回廊にある聖女の彩色木彫

図 4-10　ブラック・ナザレ像　マニラ、キアポ聖堂

円空と鉈彫り

二〇二四年初頭、大阪のあべのハルカス美術館で「円空」展が開催された。江戸期に諸国をめぐって膨大な仏像を彫った修験僧、円空は、十二万体の造物を請願したとされ、おびただしい作品を各地に残した。五千点以上が現存しているとされ、展覧会にはうち約百六十体が集められていた。円空らしからぬ丁寧な仕上げをした初期の作品もあった。

円空仏といえば、一刀彫とも呼ばれる、鑿《のみ》や鉈《なた》の跡が荒々しく残った大胆な造形でよく知られている。これはある種の潔さと決断力を要する名人芸といってよいが、それによって制作時間を短縮してすばやく多くの彫刻を作ることを可能にした。高山市の千光寺にある《両面宿儺《すくな》像》（図4-11）は、円空仏を代表する迫力に満ちている。燃えさかっているように逆立った髪型は、平鑿、丸鑿、角鑿など、十種類ほどの鑿を使って仕上げているとされ、大胆な技法が力強い造形に昇華している。宿儺とは『日本書紀』に伝えられる飛騨の国にいた伝説的な超人で、円空の故郷の美濃や飛騨で信仰を集めていた。

そもそも鑿の跡を残すこの鉈彫りという技法には意味があった。鉈彫りは、円空のはるか以前、平安中期から鎌倉時代にかけて東日本を中心に存在していた。これは素材である樹木が神仏に変化する過程を表したものとされ、いまだ樹木であって完全に神仏の姿になっていないものである。あるいは、神仏でありながら同時に樹木のままでもある像といってもよい。樹木は神の依代《よりしろ》でもあり、霊木を仏像にすることも古くから行われた。こうした樹木信仰の表れこそが鉈彫りであった。それは未完成のように見えることもあるが、決して未完成では

図 4-11　円空《両面宿儺坐像》
1685年頃　岐阜県、千光寺

図 4-12　リーメンシュナイダー《聖母被昇天》1505-10年
クレクリンゲン、ヘルゴット聖堂

なく、意図的に鉈や鑿の痕跡を残して素材の樹木の形をとどめ、神仏が樹木から生成しつつある様を表しているのである。

古くから樹木信仰のあったドイツでも、「樹木の聖母」のような信仰を生み、中世以来、木彫が教会を飾った。スペインの木彫のように彩色を施したものも多いが、クレクリンゲンにあるドイツ・ルネサンスの巨匠リーメンシュナイダーの代表作《聖母被昇天》（図4‐12）のように、あえて白木のまま残したものも多い。それはやはり、聖なる像が木材であり、その生命力を宿していることを示しているようである。

イタリア・ルネサンスの巨匠ミケラン

ジェロは大理石彫刻を得意としたが、鑿の跡をとどめたものも多い。彼は大理石の中にはすでに完成した形が入っており、彫刻家の役割はその形を石から救い出すことにすぎないという思想を持っていた。それは、肉体にとらわれている人間の魂のアナロジーでもあった。

ミケランジェロの彫刻には未完成の作品が多いが、それは彼が大理石の中に入っている形を彫りだすことに失敗して放置したものだとされている。しかし、そうではなく、大理石から徐々に抜け出そうとする真の形を表現したものだと見ることもできよう。

たとえば、《聖マタイ》（図４‐13）は、キリストに呼びかけられた使徒が歩みだそうとしながら、いまだ石にとらわれている状況を表しているようである。未完成ではなく、生成しつつある。それはこの世に生きるすべての人間の営みと運命を象徴しているといえよう。彫刻とは、削り取ることによって本質を明らかにする芸術なのだ。

図 4-13　ミケランジェロ《聖マタイ》1503年　フィレンツェ、アカデミア美術館

第5章

知られざる画家たち

亜欧堂田善の全貌

亜《あ》欧《おう》堂《どう》田《でん》善《ぜん》は司馬江漢《こうかん》と並ぶ代表的な江戸の洋風画家。二〇二二年から翌年にかけて、没後二百年を記念して福島県立美術館で大規模な展覧会が開催され、千葉市美術館に巡回した。

この展覧会では田善を取り巻く司馬江漢など同時代の画家の作品、田善が参照した西洋版画や弟子たちの作品など約二百五十点が展示されており、膨大な質量に圧倒された。福島県立美術館の学芸員で私の優秀な教え子である坂本篤史氏らによって近年格段に深まった田善研究の成果として、田善の多種多様な試みやその影響の広がりを見せてくれた。この展覧会の浩瀚《こうかん》なカタログは二〇二三年、倫《りん》雅《が》美術奨励賞を受賞した。

田善は本名を永田善吉といい、現在の福島県須賀川市に生まれ、生来絵を好んだが家業の染物業に従事し、四十七歳のときにたまたま白川藩主、松平定信に絵の才能を見出されて抜擢され、その命により江戸に出て年下の谷文晁《ぶんちょう》に入門して洋風画を学び、さらにオランダの書物や版画を熱心に研究し、試行錯誤の末にきわめてすぐれた銅版画技術を身につけた。日本で最初に銅版画を制作した司馬江漢にも師事したが、田善の技術は江漢より卓越している。そのため、彼は長崎から欧州に渡って修業したという伝承があったほどである。江戸っ子の司馬江漢が「日本のダ・ビンチ」と呼ばれることもあるように、自己宣伝の多い雄弁な才人であったのと対照的に、東北人の田善は寡黙で生真面目な職人肌であったようだ。遅咲きながらこつこつと努力することによって、技術を着実に進展させていったのである。

「亜欧堂」という号は、定信からアジアとヨーロッパにわたるという意味で授けられたものである。日本初の銅版画による解剖図や、幕府がはじめて公刊した世界地図のような大きな仕事のほか、江戸の名所など日本の風景や風俗も描いた（《江戸城辺風景図》図5-1）。西洋の版画をそのまま模倣したものもあるが、多くは独自のアレンジを加えており、原画と比較することによって田善の創作過程があきらかになりつつある。代表作《ゼルマニア郭中之図》（図5-2）では、古代ローマとパリ市庁舎を描いた版画を巧みに組み合わせ、広大な空間を作り出している。

洋風画では、銅版画習得の過程で学んだ遠近法や明暗法を生かし、江漢と似た様式を示している。重要文化財の《浅間山図屛風》（図5-3、146ページ）や江戸の風景は、静寂で不思議な雰囲気を漂わせており、今とそれほど変わらない二百年前の日本の様子が伝わってくる。

図 5-1　亜欧堂田善《江戸城辺風景図》18-19世紀　東京藝術大学

図 5-2　亜欧堂田善《ゼルマニア郭中之図》
1809年　交易財団法人平野政吉美術財団

図 5-3　亜欧堂田善《浅間山図屏風》19世紀 東京国立博物館

彼とほぼ同世代の伊能忠敬《ただたか》が、やはり五十歳になってから江戸に行って測量術などを学び、全国を歩いて測量し、それまでにない正確な地図を作り上げた偉業と比肩できるだろう。

今回の展覧会はこの知られざる江戸の大画家の全貌を知るまたとない機会であった。

櫻井忠剛の油絵

長らく準備室のあった尼崎市立歴史博物館がようやく二〇二〇年に開館した。戦前に尼崎市立高等女学校として建設され、近年まで中学の校舎であった立派な建物が博物館となって見事に生まれ変わっている。二〇二二年秋、この博物館で、「初代尼崎市長櫻井忠剛《ただかた》と勝海舟・川村清雄《きよお》」展が開催された。

一八六七年、尼崎藩主の家系に生まれた櫻井忠剛は明治初期、東京に遊学して洋画家の川村清雄に師事し、川村に倣《なら》って板や漆の上に花鳥などを描く日本的な油彩画を描いた。また、若くして東京府工芸品共進会や内国勧業博覧会に出品して受賞、京都でアトリエを開設し、関西美術会や関西美術院の発起人になるなど関西洋画壇の指導者として活躍した。一九〇五年尼崎に帰郷し、推挙されて初代尼崎町長、次いで初代市長となって画壇から離れ、やがて画家としては忘れられてしまった。

近年、星野画廊の星野桂三氏や尼崎市立歴史博物館の桃谷和則氏らの調査によって再発見され、二〇〇五年には尼崎総合文化センターで現存作品や資料を可能なかぎり集めた「櫻井忠剛と関西洋画の先駆者たち」展が開かれた。このとき私も調査を手伝い、木下直之氏とともにカタログや関連シンポジウムに参加することができた。

今回の特別展は、櫻井の師の川村清雄と、川村を庇護し、櫻井と縁戚関係にあった勝海舟を取り上げ、川村・櫻井師弟の作品だけでなく、手紙や写真資料を数多く展示して見ごたえがある。

伝統的な日本の家屋には、油彩画を掛ける場所がなかった。そこで、長押《なげし》や欄間《らんま》に合わせた横長の扁額や、柱に掛ける縦長の柱絵、あるいは杉戸や衝立に油彩を描く工夫がなされた。さらに、通常の洋画のように三次元の奥行きのある空間表現ではなく、木目や漆を露出させ、その上に描く和洋折衷の油彩画が考案された。それらは西洋に留学して油彩技術を完全に習得した川村清雄が、日本の空間と需要に適合させるべく創出したものであった。

櫻井はこうした形式を継承して、漆板に描かれた《能道具とカルタ》（図5－4）や衝立の《薔薇》（図5－5）など、多くの作品を制作した。それによって東京以上に洋間の少なかった関西の洋画壇に少なからぬ影響を与えたのである。

市長となってからの櫻井は、多忙な公務の合間に、こうした作品を描いては気前よく贈呈していたようだ。それらは市長の描いた洋画ということで大事にされ、今でも多くが尼崎周

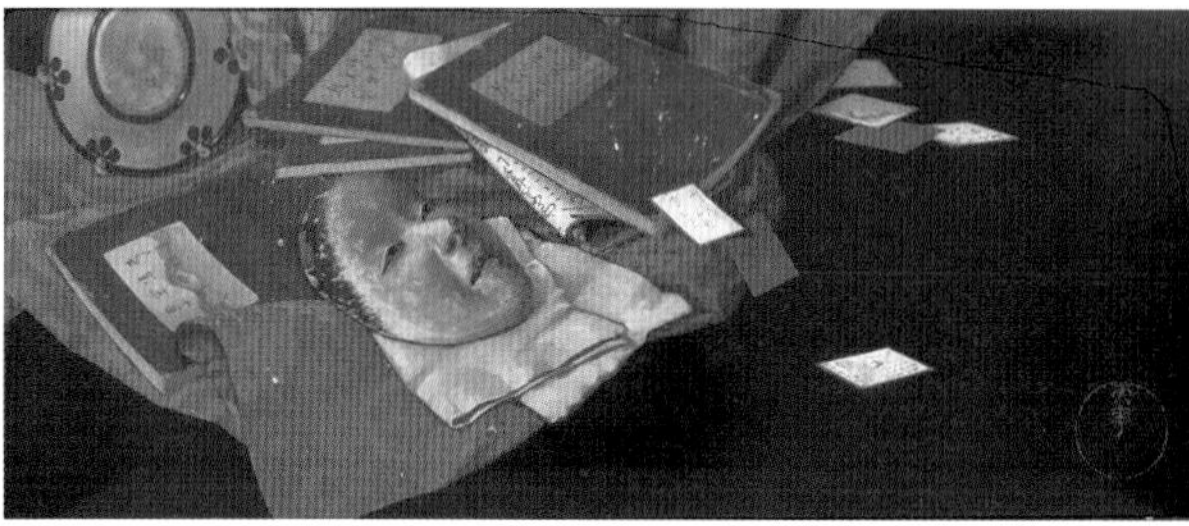

図 5-4　櫻井忠剛《能道具とカルタ》尼崎市立歴史博物館

図 5-5　櫻井忠剛《薔薇》尼崎市蔵

辺の旧家の玄関先や居間に掛けられている。藩主の家系に生まれ、望んだわけでないにせよ公的な要人となってしまった彼は、そのために画家としての深まりや円熟を迎えることができなかったが、皮肉なことにその地位ゆえに比較的多くの作品を現存させ、画家としての再発見を促すことになったのである。

夭折の天才　亀井竹二郎

二〇二二年末から翌年にかけて、福島県の郡山市立美術館で開館三十周年を記念して、「記録する眼　豊穣の時代　明治の画家　亀井至一《しいち》、竹二郎兄弟をめぐる人々」展が開催された。亀井至一は明治期の石版画に大きな業績を残した洋画家としてそれなりに知られていた。弟の竹二郎も洋画家であったが、わずか二十三歳で没しており、作品が一点も知られていなかったことから長い間ほとんど忘却されていた。しかし、一九九四年、東海道五十三次を描いた油彩画連作が発見され、これを郡山市立美術館が収蔵して展示したことで、知られざる明治初期の夭折《ようせつ》の洋画家としてにわかに脚光を浴びたのである。

この連作は、竹二郎が没して十年後の明治二十二年（一八八九年）に石版画となって出版された。その年、新橋神戸間の東海道線が開通し、東海道の風景と印象は急速に変化していった。これらの石版画のいくつかはよく知られていたが、発見された原画の油彩画は石版画よりもはるかに鮮やかで見事であった。

竹二郎は、広重が描いた東海道五十三次を京都から東京まで実際に歩いてスケッチしてお

図5-6　亀井竹二郎《石版『懐古東海道五十三駅真景』油彩原画より　藤沢駅》1877-78年　郡山市立美術館

り、四季の移り変わりだけでなく、「大磯駅」や「島田駅」のような夕景や、「赤坂駅」「藤沢駅」（図5-6）のような夜景が多いのが注目される。歩を急いでたどり着いた駅が夜になっていることも多かったのであろう。そのときの寂しさや孤独など、旅行者ならではの繊細な視線を感じさせる。それらは浮世絵ではなしえない油彩画ならではの写実的な光と闇の表現を示し、単なる名所絵を超えた、日本でもっとも早い純粋な風景画となっている。

竹二郎を庇護し、この連作をはじめ多くの作品を描かせたのが、明治政府の官僚で文化財保護や博物館創設に尽力した蜷川式胤《にながわのりたね》であった。近年、この人物の日記から竹二郎との密接な関係があきらかになった。竹二郎は京都の名家出身であった蜷川に従って京都に滞在し、しばしば行動をともにしたこと、蜷川の母の肖像を注文されて描いたことなどである（図5-7）。この肖像画は小品ながら今回修復され、竹二郎が肖像画家としても傑出した存在であったことがわかった。

竹二郎の十四歳年上の異父兄で、写真家で洋画家の横山松三郎に学んだ亀井至一についても、遺族がまとめて保管していた遺品を郡山市立美術館が収蔵し、多くのスケッチや資料が展示されていて興味が尽きなかった。

図 5-7　亀井竹二郎《蜷川与志肖像》
1877年　郡山市立美術館

江戸出身の亀井兄弟は郡山とは直接の関係がないが、この美術館は開館以来、歴代の館長や学芸員諸氏が初期洋画の研究を積み重ねてきた。今回の展覧会はこうした三十年の活動の集大成である。日本の公立美術館のあるべき理想像といってよいだろう。

小早川秋聲における眠りと死

二〇二一年秋、京都文化博物館で「小早川秋聲《しゅうせい》 旅する画家の鎮魂歌」展が開催された。大正期から昭和期にかけて京都で活躍したこの日本画家は、近年再評価されるようになった。異色の戦争画《國之楯》（後述）が世に知られるようになったのがきっかけである。私も二〇〇二年に姫路市立美術館の「美術と戦争」展で出会って以来、何度かこの絵を見てきた。だが、《國之楯》があまりに有名になったために、この画家はこの絵の「一発屋」のような印象を与えてしまい、それ以外の画業についてはほとんど知られていなかった。

今回の展覧会は東京のほか画家の故郷の鳥取にも巡回したが、京都文化博物館の植田彩芳《さよ》子《こ》氏をはじめ各地の研究者が調査し、この画家の全貌をはじめて紹介したものである。世界中の風景を描き、たしかな技法とセンスを持った京都画壇の異才の姿が浮かび上がった。

新出の《虫の音》（図5-8）は、戦場で兵士たちが眠る光景を描いたもの。秋聲は、兵士たちの「無邪気な寝顔」に注目し、彼らが祖国や家族の夢を見ているのだと記している。人間は眠るとき、現実を離れて本来の自分に戻るのである。

図5-8　小早川秋聲《虫の音》1938年　個人蔵

秋聲は一九二六年にわが子の眠る姿を描いた《未来》（図5・9、次ページ）という作品を帝展に出品している。子どもの周囲は円形になっていて、その中には様々な玩具が描き込まれ、遊ぶ夢を見ていることが示される。後に秋聲は戦地での兵士たちの寝顔を見て、わが子の寝顔と同じような無垢な夢の世界を感じたのであろう。

日章旗を顔に掛けられた陸軍将校の遺体を描いた《國之楯》（図5・10、157ページ）も、こうした眠りの主題の延長にあるようだ。古来、世界中の文化で、死は眠りとつながっていた。キリスト教美術では、聖母の膝の上で眠る幼児キリストは、将来の受難と死を暗示していた。兵士が戦地での夢

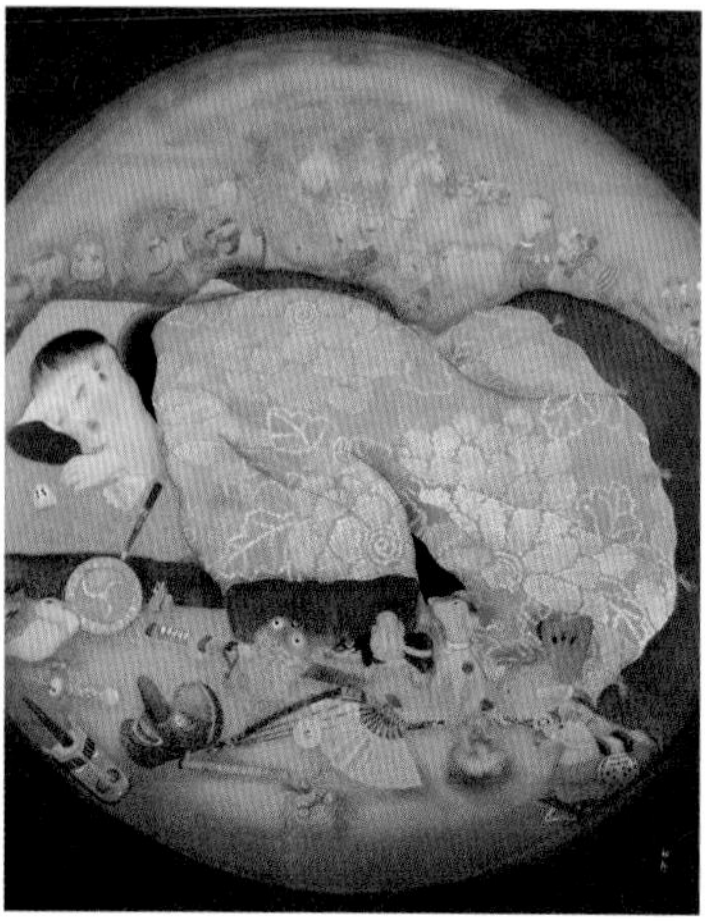

図 5-9　小早川秋聲《未来》
1926年　個人蔵

に見たように、死後は故郷に帰って家族と再会しているという想像も込められているかもしれない。

この作品は陸軍省の依頼で制作されたが、受け取りを拒否されたという。当初は兵士の上に桜の花が降り積もるように描かれ、体全体が発光するように大きな円光が描かれていたが、戦後、画家自身によって塗りつぶされた。戦死者を美化しすぎたことを反省したのだろうが、当初は国に殉じた英霊を荘厳し、称えていたことがわかる。この円光はまた、兵士の夢の世界や魂を暗示していると見ることもできる。

だが、背景が暗闇になったことで、

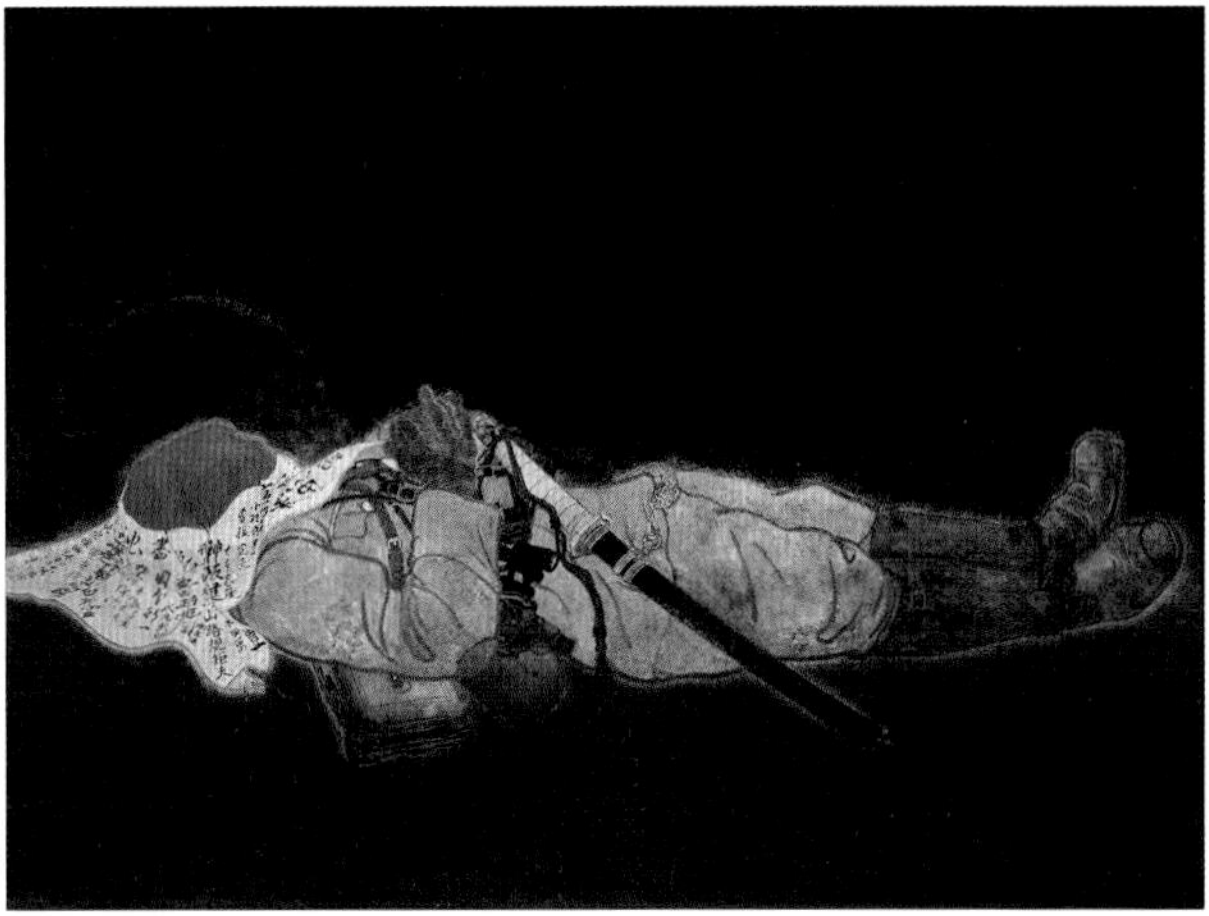

図 5-10　小早川秋聲《國之楯》
1944年　京都霊山護国神社（日南町美術館寄託）

戦死に限らず、一人の人間の死の重みと厳粛さが強調されることになった。

東本願寺の衆徒でもあった秋聲は戦地にあってつねに兵士の死に心を痛め、その火葬にも立ち会って読経したという。この絵はこうした画家ならではの宗教画の一種であったといえよう。

夜の印象派　レッサー・ウリー

二〇二一年から翌年にかけて、三菱一号館美術館と大阪のあべのハルカス美術館で「イスラエル博物館所蔵　印象派・光の系譜」展が開催された。エルサレムにあるイスラエル博物館は死海文書を展示していることで有名だが、西洋絵画の大コレクションがあることはあまり知られていない。かつて訪れたとき、レンブラントや印象派などが充実しており、重要な作品は少ないものの、短期間で見切れないほどの分量に驚いたものである。

展覧会はその中からフランス印象派を中心とした作品群が選ばれている。東京で開幕すると、今回四点出品されていたレッサー・ウリーという画家がにわかに話題となった。ドイツ印象派の画家ウリーは、一九九〇年に神戸などで開催された「印象派　フランス・ドイツ絵画」展などで数点が来日したこともあったが、今まで日本で話題となったことはない。それがなぜ今回、急に「バズった」のであろうか。

今回の展覧会では、ウリーの作品を含むいくつかの作品は写真撮影が許可されており、撮られた写真がＳＮＳを通して広がったということが第一の要因かもしれない。しかし何より

図5-11　レッサー・ウリー《夜のポツダム広場》
1920年代半ば　イスラエル博物館

も、《夜のポツダム広場》（図5-11）のような作品が人々の心をとらえたためであろう。

　印象派は、日中の光をとらえた風景画が大半であった。二十世紀初頭、印象派はアカデミズムと結びつき、すでに時代遅れの様式になりつつあったが、ウリーは明るい田園風景ではなく、ベルリンやパリの夜や雨の情景を印象派風のタッチで描いて個性を打ち出したのである（《冬のベルリン》図5-12、161ページ）。こうした作品が、見慣れた印象派の絵とは異なる魅力を日本人に感じさせたのかもしれない。

ウリーはベルリンの街景を描いた最初の画家であるとされている。駅やカフェが集中するポツダム広場は当時西洋でもっともにぎやかな繁華街であり、この絵に見られるようにナイトライフの中心地であった。

彼はまた、十九世紀末に始まったシオニズム（イスラエルの地にユダヤ人の故郷を再建しようという運動）の影響を受け、旧約聖書の題材も描いたユダヤ人であったため、イスラエルにとっては重要な画家と目されているようだ。この展覧会を担当した三菱一号館美術館の安井裕雄《ひろお》氏によると、イスラエル側はこちらの要望にはなかったウリーの作品を何度も推薦してきたという。

ドイツ印象派を代表する巨匠でウリーと確執のあったマックス・リーバーマンは、ナチス政権によって公職を追放され、孤独のうちに没した。ウリーはナチス擡頭前に亡くなっているため直接の被害は受けなかったものの、失われた作品も多く、忘れ去られてもおかしくなかった画家だ。没後百年近くたって日本で人気が高まったのは実に興味深い。

図 5-12　レッサー・ウリー《冬のベルリン》
1920年代半ば　イスラエル博物館

恐竜図鑑展

太古の世界に存在して消え去った恐竜は、世界中の人々の夢をかきたて、とくに子どもたちの人気は高い。近年、日本にも恐竜が数多く生息していたことがあきらかになり、福井県立恐竜博物館のほか、兵庫県立人と自然の博物館や北九州市立いのちのたび博物館のように、恐竜の化石や復元模型を常設展示して人気を集める博物館も増えてきた。こうした自然系の博物館に対し、美術館は恐竜とは縁がないように思われる。

二〇二三年、上野の森美術館と兵庫県立美術館で開催された「恐竜図鑑―失われた世界の想像／創造」展は、恐竜を表現した美術を集めたユニークな展覧会であり、兵庫県立美術館の岡本弘毅《こうき》氏（現神戸芸術工科大学）の熱意の産物であった。

十九世紀初頭にイギリスでイグアノドンなどの恐竜の化石が発掘され、一八五一年のロンドン万博で復元像が展示されてその存在は世界に知れ渡り、同時に恐竜や太古の世界を表現するパレオアート（古生物美術）が登場した。それは写真では不可能な、絵画ならではの表現領域であった。「ジュラシック・パーク」のような映画が登場するまでは、こうした絵画

図5-13　ロバート・ファレン《ジュラ紀の海の生き物—ドゥリア・アンティクィオル（太古のドーセット）》
1850年頃　ケンブリッジ大学セジウィック地球科学博物館

こそが人々の心をつかんできたのだ。

　新発見や科学的知見の深まりとともにそれらは正確さを増していったが、空想や想像の割合の大きかった初期の恐竜画には独特の味わいがある。十九世紀初頭、メアリー・アニングはイギリスのドーセット州で首長竜など海棲恐竜の化石を発見したが、画家がそれらを復元した想像図は史上もっとも早い恐竜画であるという。アンモナイトやウミユリのいる海でイクチオサウルスがプレシオサウルスの首に噛みつき、空にはやはりアニングが発掘した翼竜のプテロダクティルスが飛んでいる（図5-13）。野蛮な光景だが、どこかユーモラスで、後のアンリ・ルソーを思わせるプリミティヴな画面である。

　二十世紀になると、アメリカのチャールズ・R・ナイト（《白亜紀—モンタナ》図5-14）と、チェコのズデニェク・ブリアン（《アントロデムス・バレンスとステゴサウルス・ステノプス》図5-15）という恐竜画の二大巨匠が現れ、以後の恐竜イメージの典型を生み出した。アメリカの自然史博物館のために多くの恐竜の復元画を描いたナイトも、日本でも翻訳出版された『前世紀の生物』の挿絵で知られるブリアンも、古生物学の知見を採り入れつつ、恐竜のいる風景を説得力をもって描いている。彼らが描いた、ティラノサウルスとトリケラトプス、アロサウルスとステゴサウルスのように、獰猛《どうもう》な肉食竜と頑丈な草食竜とが対峙する情景は、恐竜イメージの定番となった。

　私も、まだ美術が好きになる以前の幼少のころ、恐竜に夢中になったが、それは恐竜への興味だけでなく、それを描いた見事な絵画に惹かれたためであったのかもしれないと思った。美術ファンにとっても恐竜ファンにとっても、童心に返って楽しめる展覧会であった。

図 5-14　チャールズ・R・ナイト《白亜紀―モンタナ》
1928年　プリンストン大学

図 5-15　ズデニェク・ブリアン
《アントロデムス・バレンスとステゴサウルス・ステノプス》
1950年　ドヴール・クラーロヴェー動物園

第6章

美術における光

屋外の光

人間の視覚は光によっており、あらゆる美術も光を前提にしている。また、多くの宗教では光は神の象徴であり、多くの古代文明では太陽を神として崇めてきた。西洋美術は、紀元前から陰影表現を追求し、事物の立体感や空間の奥行きを陰影によって表現してきた。そもそも西洋では、絵画の起源というものは、古代ローマの修辞学者クインティリアヌスによれば太陽光による自分の影をなぞった、あるいはプリニウスの『博物誌』によればランプに映った恋人のシルエットをなぞったといった行為に由来すると信じられ、その情景が描写されることもあった。絵画と影とはほぼ一体のものであり、わが国でも肖像や肖像画のことを「影」と称する。

西洋美術における光の探求は、科学技術の発展と軌を一にしていた。十五世紀にネーデルラントで油彩技法が完成すると、精妙な光の表現が可能となり、ファン・エイクらによって外界の景色が正確に表現された。やがて人工光による夜景も試みられるようになった。それは、キリストの降誕のような特定の宗教主題と結びつく。聖家族がエジプトに旅する情景を

図6-1　エルスハイマー《エジプト逃避》
1609年　ミュンヘン、アルテ・ピナコテーク

描いたアダム・エルスハイマーの作品（《エジプト逃避》図6-1）では、右から月、ヨセフの持つカンテラ、焚火と三種類の光源が描き分けられ、夜空には星座や天の川が正確に描写されている。ローマで活躍したこの画家の周囲には、近代科学の祖ガリレオが望遠鏡を用いて天体を観察していた。

十九世紀にフランスでおこった印象派は、屋外にカンヴァスを持ち出して陽光に照らされた明るい風景を描いた。それ以前に、印象派の先駆者といえる画家ターナーは、光に満ちたヴェネツィアの運河を描いている（《サルーテ聖堂からのヴェネツィア》図6-2）。ヴェネツィアで活躍したカナレットやグアルディの風景画よりもはるかに鮮やかなのは、イギリスから来た画家にとって、この水の都があまりにも明るく感じられたからであろう。

この作品のように、光が強烈だと事物の輪郭は曖昧《あいまい》となる。印象派の画家たちは、光による鮮やかな色彩を表現するために粗いタッチによる筆触分割を用いたが、草原にいる妻子を

図 6-2　ターナー《サルーテ聖堂からのヴェネツィア》1835年頃
ニューヨーク、メトロポリタン美術館

図 6-3　モネ《日傘をさす女性》
1875年　ワシントン、ナショナル・ギャラリー

図6-4　ゴッホ《種まく人》1888年
オッテルロー、クレラー゠ミュラー美術館

描いたモネの作品（《日傘をさす女性》図6-3、前ページ）では、人物の顔はかすんでいる。

セザンヌのようなポスト印象派の画家たちは再び事物をしっかりととらえて構築的な画面を作ろうとしたが、光は色彩や筆触に取って代わっていく。

ゴッホは、日中の畑やそこで働く農民を繰り返し描いたが、その多くには太陽が大きく描かれている（《種まく人》図6-4）。陽光のまぶしさだけでなく、その神聖さを暗示しているようだ。陽光はときに神秘的なものであり、とくに朝日や夕日には象徴的な意味が見出された。

十八世紀にはフリードリヒらドイツ・ロマン派の画家たちによって朝日や夕日は人生の

図6-5　アイヴァゾフスキー《第九の怒濤》
1850年　サンクトペテルブルク、国立ロシア美術館

始まりや終焉《しゅうえん》に重ねられた。

ロシアの国民的風景画家アイヴァゾフスキーの代表作《第九の怒濤》（図6-5）では、難破した人たちに巨大な波が襲い掛かるが、そこに朝日が差し込み、彼らが生き延びることを示唆している。

屋内の光

以上のような風景画や自然描写だけでなく、室内の情景にも光は重要な役割を果たした。十七世紀オランダの寡黙な画家フェルメールは、窓から差し込む陽光に照らされた室内を繰り返し描く（《手紙を読む青衣の女》図6-6）。オランダのそれほど明るくない光は、日中のひとときのみ部屋を照らすが、その短い時間に人は窓辺で手紙を読んだ。この作品には窓は描かれていないが、壁の白と地図の黄色と女の衣装の青だけに限定され、部屋に満ちた淡い陽光がすべてを統合している。フェルメールは、カメラ・オブスクラという光学機器を使用してこうした作品を描いていたと考えられている。これはレンズを通して外界を平面に映す

図6-6　フェルメール
《手紙を読む青衣の女》1662-65年頃
アムステルダム国立美術館

装置で、写真の原型となったものであった。

図6-7　カラヴァッジョ《聖マタイの召命》1600年
ローマ、サン・ルイージ・デイ・フランチェージ聖堂

　バロック美術の先駆者カラヴァッジョの出世作《聖マタイの召命》（図6-7）では、右から入ってきたキリストとともに光が鋭く差し込み、壁に斜めの線を作っている。その光はテーブルにつく五人の男たちに当たっているが、もっとも光から遠い左端でうつむく若者を今まさに回心させている。この若者こそがマタイであり、次の瞬間、立ち上がってキリストに従って出て行くだろう。なお、まん中の髭の男がマタイであるとする説もあるが、この「マタイ問題」については拙著『一枚の絵で学ぶ美術史　カラヴァッジョ《聖マタイの召命》』（ちくまプリマー新書）を参照されたい。光はこのように人物の心理やドラマを演出する重要な要素となったのであ

る。

「夜の画家」ジョルジュ・ド・ラ・トゥールは、夜の闇の中、ランプや蝋燭の焔《ほのお》を見つめる聖人や聖女を何度も描いたが、焔は瞑想と回心を促す神の光を暗示する。《蚤《のみ》をとる女》（図6－8）は、聖女ではない庶民の女が一心に蚤をとろうとしている。蚤に苦しむ女性は起きて蝋燭をつけたのだろう。蝋燭の載る赤い椅子は画面に平行に置かれ、女性の身体とともに画面に幾何学的ともいえる秩序を生み出している。

図6-8　ラ・トゥール《蚤をとる女》1635-38年頃　ナンシー、ロレーヌ歴史博物館

十八世紀のイギリスでは、近代科学が生まれて産業革命を準備したが、それらと深く関わった画家ライト・オブ・ダービーは科学技術を題材とした作品を描いた。代表作《空気ポンプの実験》（図6－9）は、近代科学の創始者ロバート・ボイルの考案した真空ポンプに鳥を

入れ、徐々に空気を抜く実験をしている様子がランプの光に浮かび上がっている。右の窓からは月も見えている。ダービーはこのような夜景画を得意としたが、それらには近代科学による合理的な視点と中世以来の神秘的な感性が融合しているように見える。

図6-9　ライト・オブ・ダービー《空気ポンプの実験》
1768年　ロンドン、ナショナル・ギャラリー

東洋の光の表現

東洋の絵画には陰影表現が欠落していると思われがちだが、光を見事にとらえた作品群も存在した。中国では八世紀後半の中唐時代に水墨画が誕生し、線だけでなく面によって事物を表現するようになった。それにより、山水画では、光、水、大気、霞《かすみ》といった不定形のモチーフが表現されるようになり、奥行きのある空間表現が可能となった。

九世紀から十一世紀にかけての五代北宋時代、巨大な山塊や河川を描く大画面の水墨山水画が成立し、江南では董源や巨然《きょねん》が湿潤な風景を描いた。董源の《寒林重汀図》（図1-12、58ページ）は、なだらかに広がる江南の水郷を俯瞰的にとらえた大画面で、夕日の光によって人物や家屋が見え隠れする。こうした作品は、西洋の陰影法や遠近法とは異なる原理によって光に満ちた広大な空間を表現している。

十二世紀から十三世紀の南宋時代にはこうした大画面よりも風景を切り取った小画面が好まれ、それは室町時代の日本にも多大な影響を与えた。南宋末に江南で活躍した画僧牧谿《もっけい》は、微妙で繊細な光の表現に長けており、多くの作品が日本にもたらされて珍重された。「瀟湘《しょうしょう》

図6-10　牧谿《煙寺晩鐘図》国宝　13世紀　東京、畠山記念館

八景」の画巻は日本で切り離されて個別に軸装されたが、霞や靄《もや》に覆われた夕闇や夜の光景を描いていて比類がない（《煙寺晩鐘図》図6‐10）。

この牧谿の影響を深く受けた長谷川等伯は国宝《松林図》において霧にかすむ松林を見事に表現した。彼はその息子で将来を嘱望されながら夭折した長谷川久蔵とともに京都の智積院の障壁画を制作したが、久蔵の《桜図》（図4‐7、130‐131ページ）は、金地に大きな桜の花が胡粉で盛り上げて表現されている。薄暗い堂内で蝋燭を灯して見ると、盛り上げられた花の部分が光り、夜桜のように見えるという。

そもそも美術作品というものは、真昼や蛍光灯の明るい光のもとで見るものばかりではない。かつての家屋も神社仏閣も内部は薄暗く、そこに設置された作品は目をこらさなければはっきり見えなかった。金地の屏風や襖絵も、ほの暗い家屋では日光を反射して部屋を明るくするという実用的な役割を担っていた。こうした金地は、刻々と移り変わる日光や灯火を反射してゆらめき、絵に奥深い陰影や動きを与えていたのだ。日本美術における光とは、このように外界の光を画面に採り入れることで成立したといってよい。

光の透過・反射・屈折

光はガラスなどを透過し、あるいは水面などに反射し、水中などで屈折する。こうした光の複雑な様態も美術に表現されてきた。光を透過するガラスは早くから窓に用いられてきた。ゴシック教会を彩ったステンドグラスは様々な色の光線によって堂内を荘厳したが、光を透過しても形を変えないガラスは、神を生みながら処女性を保った聖母にたとえられ、またス

図6-11　ファン・エイク
《受胎告知》1435年頃
ワシントン、ナショナル・ギャラリー

テンドグラスを通過した光が色に染まることは、聖母を通過したキリストが人となることを意味した。ファン・エイクの《受胎告知》（図6‐11、前ページ）は教会のガラスを透過した光として聖霊が表されている。

窓ガラスは古代ローマ時代から存在していたが、板ガラスが普及する十八世紀までは瓶底のような円形のガラスを鉛によってつないだロンデル窓が主流であった。こうした窓は、光は通すが、外の景色はぼんやりとしか見えない。カラヴァッジョにも影響を与えた北イタリアの画家ヴィンチェンツォ・カンピの《聖マタイと天使》（図6‐12）は、ロンデル窓から差し込む午後の光を的確に描写している。最近、ルーヴル美術館で修復が終わって鮮やかな色彩のよみがえったファン・エイクの名画《ロランの聖母》（図6‐13）にも、画面両端にロンデル窓が見え、明るい青空の光が透過しているのがわかる。先の《受胎告知》といい、ファン・エイクは完璧な油彩技術によって、光に満ちたこの世界をこれ以上ないほど明晰に描いた。

カラヴァッジョの描いた《バッカス》の左手前には、ワインの入ったフラスコがあり、光を反射している。だがフラスコの向こう側に見える白い布は屈折していないように見え、その点が写実的ではない。このワインの表面あたりに画家の顔が映っており、現物を見ると確

（左）**図 6-12**　ヴィンチェンツォ・カンピ《聖マタイと天使》
1588年　パヴィア、サン・フランチェスコ・ダッシジ聖堂

（右）**図 6-13**　ファン・エイク《ロランの聖母》
1435年 パリ、ルーヴル美術館

認することができる。

光の反射もしばしば描かれた。カイユボットの代表作《床削り》（図６‐14、次ページ）は鉋《かんな》で床を削る労働者を描いたもの。削られる前の床が外の光を反射し、人物の影を映している。この画家はアカデミックな様式を捨てることはなかったが、印象派を擁護し、光に対して敏感であった。

ドイツ印象派の画家レッサー・ウリーは、雨の都市風景を得意とした。前に見た《夜のポツダム広場》（図５‐10、１５９ページ）はベルリンの繁華街の雨の夜をとらえたもので、ビルのネオンが濡れた道路に反射している。反射光のほうが強く光っているのが妙だが、雨の都会の印象を見事に表現し

図6-14　カイユボット《床削り》1875年　パリ、オルセー美術館

ている。

光は水中では屈折して事物の姿をゆがめるが、水中のモチーフも古来繰り返し表現されてきた。アメリカ最初の大画家の一人ジョン・シングルトン・コプリーの代表作《ワトソンと鮫》（図6‐15）では、ハバナ湾の遊泳中に巨大な鮫に襲われた若者が海中から助けを求めている。男も鮫も水中にいながら屈折せずにそのままの姿で描かれており、波の白い線のみによって水中であることが示されている。

江戸時代の写生派の祖である円山応挙の《龍門鯉魚図》（図6‐16）は、右幅に滝を登る鯉、左幅に水中の鯉を描いた対幅。水中の魚を水墨の没骨《もっこつ》で描く藻魚《そうぎょ》図《ず》は、中国で南宋時代以降大いに流行して日本にもたらされたが、応挙はそれを洗練させ、淡い青の線によって水面の光をとらえている。

図 6-15　ジョン・シングルトン・コプリー《ワトソンと鮫》
1778年　ワシントン、ナショナル・ギャラリー

図 6-16　円山応挙
《龍門鯉魚図》
兵庫、大乗寺

構造色

印象派の画家たちは、事物の本来の色彩、つまり固有色というものはなく、色彩はすべて光によって決まると考えるようになった。実際には、事物は本来の色を持っており、通常の光のもとで見える色が固有色とされている。しかし、事物によっては同じ光のもとでも、構造上から多色に見えたり、色が変化したりするものがあり、これを構造色という。シャボン玉や孔雀《くじゃく》や蝶の羽、コンパクトディスクなどである。

図 6-17 ミケランジェロ
《預言者イザヤ》1508-12年
ヴァチカン、システィーナ礼拝堂

構造色が認識されるようになったのは十九世紀のことだが、十六世紀のマニエリスムでは、同じ事物の中で変化する色(カンジャンティ)、つまり玉虫色が流行した。その先駆となったのがミケランジエロのシスティーナ礼拝堂天井画で、こ

図6-18　ヘーダ《静物》1640年
アーヘン、スエルモント・ルートヴィヒ美術館

こでは人物の衣装などに複数の色彩が用いられている（《預言者イザヤ》図6-17）。ミケランジェロは巨大な人物の衣装を単一の色彩で表現するのを回避したせいだろうか、この天井画の人物たちは様々な色彩に彩られており、それが十六世紀の画家たちに影響したのである。

　角度によって色の変化する構造色を描くのは、画家にとっては一種の挑戦であったが、その分、技量を誇示する機会となった。ある種の貝殻は薄い膜の多層構造となっているため、虹のように様々な色彩が表れる。十七世紀のオランダでは、珍しい海産物が静物画のモチーフになったが、ヴィレム・ヘーダの静物画（《静

図6-19 カレル・デュジャルダン《シャボン玉を吹く少年》1663年　コペンハーゲン、デンマーク国立美術館

物》図6-18、前ページ）には、複雑な色をしたオウム貝が描かれている。

すぐに消えてしまうシャボン玉はヴァニタス（虚栄）の代表的なモチーフで、十七世紀以来繰り返し表現されてきたが、シャボン玉の構造色をしっかり表現したものはそれほど多くないようだ。カレル・デュジャルダンの《シャボン玉を吹く少年》（図6-19）は、ヴァニタスの擬人像である少年がシャボン玉に乗り、シャボン玉を吹いているが、大きな貝殻とシャボン玉の複雑な光沢を表現しようとしている。角度によって変化するこうした事物は、この世のものはすべて移ろいゆくものだというヴァニタスにもっともふさわしいものであった。先に見たウィリアム・ホルマン・ハントの《無垢なる幼児たちの勝利》（図1-10、53ページ）の画面にも、構造色を示すシャボン玉のような球体がちりばめられている。

山本芳翠《ほうすい》の《浦島》（図6-20、次ページ）は、竜宮城から様々な贈り物をもらって亀に乗って凱旋する浦島太郎を描いた名作。水晶玉かシャボン玉のような球や宝石、螺鈿《らでん》などの織りなす不思議な色彩に富んでいる。

イワシやサンマなど銀色の魚も構造色を持つ。明治初期に油彩画の迫真性に惹かれて身近な静物を多く描いた高橋由一もこうした魚を表現した。《なまり》（図6-21、同）は蒸したカツオを生干しにしたなまり節を描いたものだが、竹皮に包まれたカツオの銀色の表面が巧みにとらえられている。そこにはヴァニタスという意味はなく、単に身近な食材を本物そっくりに描写しようとする画家の熱意が感じられる。

現代においては、蛍光灯を用いたダン・フレヴィンやジェームズ・タレルのように、光そのものを作品とする美術家もおり、光はますます重要な要素となっている。光と美術とは密接な関係にあり続けるだろう。

図 6-20　山本芳翠《浦島》1893-95年　岐阜県美術館

図 6-21　高橋由一《なまり》1877年　香川、金刀比羅宮高橋由一館